Jesus Christus
sein Bildnis in der Kunst

Denis Thomas

Jesus Christus
sein Bildnis in der Kunst

ALBATROS VERLAG AG

©1980 Albatros-Verlag AG CH-8702 Zollikon
© englische Originalausgabe 1979
by Hamlyn Group Ltd, London
Übersetzung und deutsche Bearbeitung: Eva Fahl, Karlsruhe
Fotosatz: Zobrist & Hof AG, Pratteln/Schweiz
Gedruckt in Spanien

ISBN 3-7156 0990 7

Inhalt

Vorwort

Wenn wir uns die Zeilen und Bilder dieses Buches vor Augen führen, erwacht in uns ein neues Bewußtsein für die Tiefe des christlichen Glaubens und das Ausmaß seiner Einflußnahme durch die Jahrhunderte hindurch. Der Glaube findet seinen Ausdruck in Worten und Bildern, und Worte lassen in unserem Geist Bilder entstehen, lange bevor sie durch Maler oder Bildhauer greifbare Gestalt annehmen. Da wir als Christen mit dem Hl. Paulus glauben, daß sich die Herrlichkeit Gottes im Gesicht Christi offenbart, drängt sich uns unmittelbar die Frage auf: Wie stellen wir ihn dar?

Dieses Buch versucht eine Antwort zu geben. Es ist nicht eine wahllose Zusammenstellung großartiger Bilder, sondern das Ergebnis von Bemühungen, die zahllosen Arten zu erfassen, in denen Jesus als Gott und Mensch über die Jahrhunderte dargestellt wurde. Wie weit ist der Themenkreis des Buches gespannt? Da ist Jesus in seiner göttlichen Herrlichkeit, als Mensch dargestellt wie die Personen in der Umgebung des Künstlers, Jesus vor dem historischen Hintergrund des Palästinas seiner Zeit, Jesus als Verkörperung der menschlichen Güte, der in Todesqualen leidende Jesus, der in Heiterkeit und Triumph leidende Jesus und schließlich Jesus als Überwinder des Todes. Die Verquickung von Realismus und Symbolismus überrascht nicht, denn hier werden Glaubensüberzeugungen deutlich, die auf irdischen und himmlischen Vorstellungen zugleich beruhen. Der Themenkreis dieses Buches legt die Frage nach dem geheimnisvollen Ursprung dieses Glaubens nahe und es drängen sich uns die Worte des Hl. Johannes auf: Und das Wort ist Fleisch geworden und hat unter uns gewohnt.

Ich bin zuversichtlich, daß dieses Buch vielen Lesern die Freude an der Schönheit, das Verständnis für die Geschichte und das Gedankengut des christlichen Glaubens näher bringen wird.

Anmerkungen des Autors

Die Arten, in denen Menschen während der vergangenen 1800 Jahre das Gesicht Christi dargestellt haben, sagen einiges über das Wesen des christlichen Glaubens, ebenso aber auch über das Wesen des Menschen aus. Ein Kunstkritiker, der sich diesen Werken fragend nähert, begibt sich in eine Welt der Metaphern und Andeutungen, der zu Gestalt gewordenen Worte und rätselhaften Botschaften, der abstrakten Gedanken, die in einer Form ausgedrückt sind, deren Bedeutung nicht mit Worten zu fassen ist. Der Künstler selbst sieht sich vor ähnliche Fragen gestellt, insbesondere, wenn er in den Überzeugungen und Vorstellungen, aus denen sich die komplexe Struktur des orthodoxen christlichen Glaubens zusammensetzt, nicht zu Hause ist.

Vergleichende Beurteilungen von religiösen Kunstwerken sagen dem Menschen, der hier spontan und gefühlsmäßig reagiert, nur wenig. Bestenfalls können wir die künstlerische Perfektion eines Giotto, Dürer oder El Greco mit den Werken solcher Künstler vergleichen, die sich einzig von der Kraft ihrer Frömmigkeit leiten lassen. So ist es nicht überraschend, wenn wir zu der Auffassung gelangen, daß die ergreifendsten, eindrucksvollsten oder – nach unserer persönlichen Überzeugung – wahrheitsgetreusten Darstellungen von Christus entweder aus der Hand der großen Meister stammen oder von anonymen Künstlern geschaffen wurden, für die die Ausführung dieser Aufgabe ein Ausdruck der Gottesverehrung war.

Unser Dank gilt zahllosen hilfreichen Personen, Galerien und Behörden, die uns mit Vorschlägen gedient oder Befugnisse erteilt haben, sowie Angela Murphy für ihre Arbeit als Bilderforscherin.

Aus der Dunkelheit

Von dem berühmtesten Menschen, der jemals auf Erden gelebt hat, gibt es kein Bildnis. Wir wissen nicht, wie er ausgesehen hat, ob er klein oder groß war, helle oder dunkle Haut hatte, eine edle oder gewöhnliche Erscheinung war. Die Berichte über sein Leben, die ein halbes Jahrhundert nach seinem Tod niedergeschrieben wurden, geben keine Auskunft über seine physische Gestalt. »Wir wissen nichts über sein äußeres Erscheinungsbild oder das seiner Mutter«, stellte der Hl. Augustin fest. Die frühesten Hinweise auf seine körperliche Gestalt finden wir in Schriften, die drei oder vier Generationen nach seinen Lebzeiten von Propagandisten der in seinem Namen gegründeten Kirche verfaßt wurden. Zu dieser Zeit war die Überlegenheit der neuen Moralreligion über ihre den Menschen verehrenden Vorgänger, die in der

Hätte nicht etwas Göttliches in seinem Gesicht und seinen Augen gelegen, wären die Apostel ihm nicht auf der Stelle gefolgt, und diejenigen, die ihn festnehmen sollten, wären nicht vor ihm auf die Knie gefallen.   *Der heilige Jeronimus*

Die Straße nach Emmaus (Ausschnitt). Frühes 12. Jahrhundert. Relief. Kloster S. Domingo de Silos, Burgos, Spanien.

Duccio: *Die Verklärung*
(Ausschnitt). Ca. 1311. National
Gallery, London.

*Die Versuchung Christi durch den
Teufel* (Ausschnitt). Ca. 1130.
Bestandteil eines
Mittelschiffkapitells der
Kathedrale von Autun,
Frankreich.

Gentile da Fabriano: *Die Krönung der Jungfrau* (Ausschnitt). 15. Jahrhundert. Teil eines Polyptychons. Brera, Mailand.

Raphael: *Die Krönung der Jungfrau* (Ausschnitt). 1503. Vatikanisches Museum, Rom.

Filippino Lippi: *Christus und
Magdalena* (Ausschnitt).
15. Jahrhundert. Pierpont Morgan
Library, New York.

Albrecht Dürer: *Christus im
Olivenhain* (Ausschnitt). 1515.
Albertina, Wien.

15

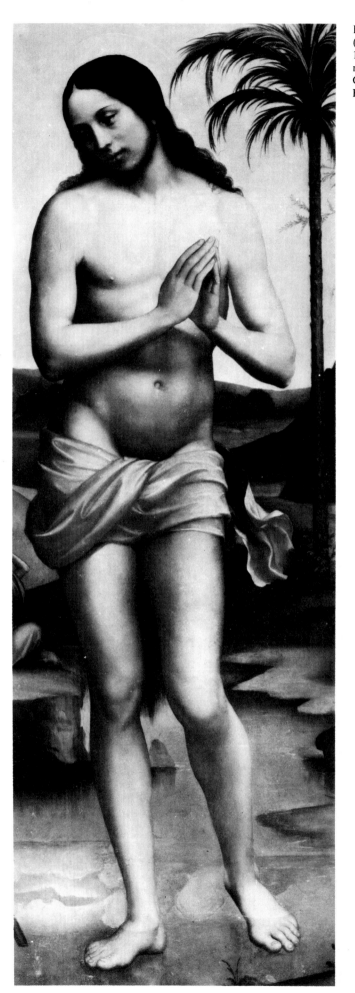

Francesco Francia: *Taufe Christi* (Ausschnitt). Frühes 15. Jahrhundert. Reproduziert mit der freundlichen Genehmigung Ihrer Königlichen Hoheit Elisabeth II.

Piero della Francesca: *Die Taufe Christi* (Ausschnitt). Frühes 15. Jahrhundert. National Gallery, London.

16

Andrea del Verrocchio: *Die Taufe Christi* (Ausschnitt). Ca. 1470. Uffizien, Florenz.

Erhebung der Seele über den Körper lag – bereits zu einem Dogma geworden. Ihr auf Erden weilender Gott war das extreme Gegenteil der kraftvollen Athleten des Olymp, nämlich ein Mensch »unseresgleichen«.

Hieronymus jedoch, der sich mit der menschlichen Gestalt Christi beschäftigte, kam zu dem Schluß, daß sie etwas von seiner Göttlichkeit erahnen ließ. »Hätte nicht etwas Göttliches in seinem Gesicht und seinen Augen gelegen«, schrieb der heilige Gelehrte, »wären die Apostel ihm nicht auf der Stelle gefolgt und diejenigen, die ihn festnehmen sollten, wären nicht vor ihm auf die Knie gefallen.« Diese Ansicht findet ihre Bestätigung in der späteren Geschichte der christlichen Kunst. Es ist unwichtig, ob das Gesicht Christi, wie es sich dem Gläubigen bietet, seine wirklichen Züge widerspiegelt. Entscheidend ist – so haben die Christen schließlich entschieden – daß solche Bildnisse mit der Schönheit seines Wortes in Einklang stehen. Außerdem galt es auch Prophezeiungen darzustellen, für die der Mensch über seine rein körperlichen Vorstellungen hinauswachsen mußte. Die letzten Kapitel des Buches Isaias, das fünf Jahrhunderte vor der Geburt Christi verfaßt wurde, wiesen deutlich darauf hin, daß Jahwe, wenn er käme, nicht wie ein gewöhnliches Wesen aussehen würde. »Mit wem wäre Gott vergleichbar? Welches Bild können wir uns von ihm machen? . . . . . Seine Wohnstatt liegt jenseits des Umkreises der Erde, deren Bewohner wie Grashüpfer wirken. . . . . Er ist wie ein Hirte, der seine Schafe hütet, die Lämmer in seinen Armen trägt und ihnen an seiner Brust Schutz gewährt«.

Seit den Anfängen der christlichen Ära stellt sich den Künstlern immer wieder die Frage, ob Christus als Mensch oder als Gott dargestellt werden sollte. Der Glaube, daß er

Giovanni Bellini: *Todesangst im Garten* (Ausschnitt). Ca. 1645. National Gallery, London.

Tintoretto: *Christus wäscht die Füße seiner Jünger* (Ausschnitt). Ca. 1535. Wilton House, Wiltshire.

Tizian: *Die Taufe Christi* (Ausschnitt). 16. Jahrhundert. Pinacoteca Capitolina, Rom.

Fra Bartolomeo: *Haupt des toten Christus*. Spätes 15. Jahrhundert. Ashmolean Museum, Oxford.

Tizian: *Haupt Christi*. Galleria
Palatina, Palazzo Pitti, Florenz.

Charles Filiger: *Christus umgeben von Engeln* (Ausschnitt). 1892. Arthur G. Altschul Collection. New York.

wie gewöhnliche Menschen lebte und menschliche Empfindungen und Nöte teilte, ist ein wesentlicher Bestandteil der christlichen Botschaft. Gleichzeitig beruhte der Glaube jedoch auch auf einer Vorstellung von Christus als Übermensch. Obgleich wir das Antlitz Gottes nicht kennen, ist es nicht leicht, ein Bildnis zu schaffen, das die Gestalt des Schöpfers und des Geschöpfs in sich vereint. Einige frühe Christen sahen eine Lösung in der Auffassung, daß Christus lediglich für einen kurzen Zeitraum als Phantom erschienen sei, bevor er wieder in seine göttliche Existenz zurückkehrte: diese Lehre wird als Doketismus bezeichnet. Andere wieder glaubten, Jesus sei ein von Gott wegen seines aufrechten und tugendhaften Wesens gewissermaßen als Adoptivsohn auserwählter Sterblicher. Nur jene unbeirrbaren Gläubigen konnten sich intellektuell die Vorstellung bewahren, daß der Sohn Gottes Mensch wurde ohne aufzuhören, gleichzeitig auch Gottes Sohn zu sein: daß das Wort Fleisch wurde, wie der Hl. Johannes sagt, und unter uns weilte, »voller Barmherzigkeit und Wahrheit«.

Das Evangelium besagt jedoch, daß der Mensch als Gottes Ebenbild geschaffen wurde. Diese Aussage ist für den Künstler eine wertvolle Hilfe, die ihm die künstlerische Umsetzung einer sonst unvorstellbaren Idee erleichtert. Die Verschmelzung – möglicherweise aber auch der Widerspruch

– zwischen Mensch und Gott in der christlichen
Vorstellungswelt fordert die imaginäre Kraft des Künstlers
aufs Höchste. In irgendeiner Weise haben Maler und
Bildhauer jedes Zeitalters diese Schwierigkeit überwunden,
beginnend mit den frühen, halbheidnischen Vorstellungen von
Gesicht und Gestalt des Gottessohnes über die ätherischen
Stereotypen der karolingischen und byzantinischen Epoche bis
hin zu den vermenschlichten Darstellungen eines
leidtragenden Christus in der Renaissance. In Frankreich,
Spanien und Nordeuropa wurden sein Gesicht und seine
Gestalt zu Symbolen und Werkzeugen des Schmerzes, als
hätten die Künstler die im Leiden verborgene Kraft
wiederentdeckt. In den vergangenen beiden Jahrhunderten,
als der weitverbreitete Glaube sich nur noch in Form von

Gerrit van Honthorst: *Der
ungläubige Thomas.* Ca. 1617.
Prado, Madrid.

Huldigungen äußerte, wurde Christus zunehmend in einer
Aura beschaulicher Frömmigkeit dargestellt. Und ein weiteres
Jahrhundert verging, bevor er in den Superstar unserer Zeit
verwandelt wurde. Der neue Glaube hatte seine Wurzeln im
Leben des Durchschnittsmenschen: der Fabrikarbeiter in den
Hinterhöfen, der Landarbeiter auf den Feldern und
Weinbergen, der Fischer an den Ufern des Meeres und der
Seen; der Syrer, Levantiner, Anatolen, der Freien und
Sklaven – der Armseligen und Schwachen, um mit der Bibel
zu sprechen. Die Bibelgeschichten, die die Lehren des
Testaments in einer vertrauten Sprache darlegten,
hinterließen einen tiefen Eindruck in diesen Menschen. Das
Zeugnis des Lebens Christi verlieh dem christlichen Glauben
eine unanzweifelbare Wahrhaftigkeit, durch die das Wunder
glaubwürdig erschien, denn hier waren abstrakte
Glaubenslehren in Fleisch und Blut gehüllt. Diese biblischen
Geschichten fanden ihren Ausdruck in der Kunst der
Katakomben, jenen engen Verliesen, in denen christliche
Familien in Erwartung des Jüngsten Gerichts ihre Toten
aufbahrten. Diese feierlichen Stätten, ursprünglich von den
Römern erbaut, bestanden aus schmalen, verbundenen
Galerien, die zwischen 3 und 4 Metern hoch waren und durch

Oben
John Constable: *Christus beim
Segnen der Kinder* (Ausschnitt).
Altargemälde. Ca. 1805. St.
Michaelskirche, Brantham Essex.

Rechts
Fra Angelico: *Noli Me Tangere*
(Ausschnitt). Frühes
15. Jahrhundert. St. Markus,
Venedig.

William Holman Hunt: *Der Schatten des Todes* (Ausschnitt). 19. Jahrhundert. Städtische Kunstgalerie, Manchester.

Kreuztragender Christus (Ausschnitt). Nach Bellini. 15. Jahrhundert. Isabella Stewart Gardner Museum, Boston.

In den Katakomben des alten Roms, wo die frühen Christen ihre Toten zur Ruhe betteten, tauchen die ersten Christusdarstellungen auf. Er zeigt das Gesicht eines lockenköpfigen jungen Mannes, ähnlich dem Knabenhelden David, oder erscheint langhaarig und bärtig nach jüdisch-orthodoxem Vorbild. In anderen Darstellungen wiederum begegnet uns Christus in der beliebten Gestalt des Guten Hirten. Gestalt Christi, 4. Jahrhundert. Katakombe des Domitilla, Rom.

Christus-Abbildung aus den Katakomben von Domitilla, Rom. 4. Jahrhundert.

vereinzelte Schlitze belüftet und schwach erhellt wurden. Jenseits der Galerien lagen die Gräber, aus dem Erdreich oder Felsen gehauen, in denen man die Toten bestattete, denen man manchmal eine Mahlzeit als letzten Akt der Nächstenliebe beigab. Die meisten Gräber waren äußerst bescheiden; nur zu wenigen, die die Ruhestätte eines Bischofs oder Märtyrers kennzeichneten, gehörte eine Grabkammer, über der sich manchmal ein Bogen wölbte. Die Toten standen unter dem Schutz des römischen Gesetzes und es scheint, als seien diese düsteren Stätten ungestört geblieben. Viele wurden in späteren Zeiten überbaut, nachdem christianisierte Regierungen den Bau von Kapellen und Baptisterien zuließen.

Die Bilder, mit denen einige der Gräber geschmückt

Der Gute Hirte (Ausschnitt).
Mosaik. 5. Jahrhundert. Galla
Placidia, Ravenna.

wurden, erzählen meist von biblischen Ereignissen und
Parabeln. Für Menschen, die noch an den alten
Glaubenslehren festhielten oder ungläubig waren, war die
Welt ein von teuflischen Wesen, den Anstiftern von Unheil
und Chaos, erfüllter Ort. In der dunklen Lautlosigkeit der
Katakomben wurden die Toten zwischen Darstellungen von
Noah und der Arche, Jonas und dem Walfisch oder dem
wunderbaren Fischzug zur Ruhe gelegt. Von Zeit zu Zeit ist
Jesus dargestellt, meist in Gestalt eines jungen Mannes.
Manchmal erscheint er nach orthodox-jüdischem Vorbild
bärtig und langhaarig. Öfter zeigt er sich als lockiger Jüngling,
der dem jungen David ähnelt. In einigen frühen
Wandmalereien ist er in der beliebten Gestalt des göttlichen
Hirten dargestellt, mit einem Lamm über seine Schultern

Die Erweckung des Lazarus und
Christus als Guter Hirte. 3. Jahr-
hundert. Katakombe des
Hl. Giordani, Rom.

Rechts
*Der Selbstmord von Judas
Ischariot; Die Kreuzigung und
Auferstehung Christi* und *Zweifel
und Überzeugung des
Hl. Thomas.* Verzierung einer
Elfenbeinschatulle. 5. Jahr-
hundert. Maskell Collection,
British Library, London.

*Pilatus beim Waschen seiner
Hände* und *Christus beim Tragen
des Kreuzes.* Verzierung einer
Elfenbeinschatulle. Maskell
Collection, British Museum,
London.

26

Der Gute Hirte. 6. Jahrhundert.
Museo Cristian Lateranese, Rom.

Frederick James Shields: *Der Gute Hirte.* (Ausschnitt). 19. Jahrhundert. Städtisches Kunstmuseum, Manchester.

Er wird seiner Herde Nahrung geben wie ein Hirte: Er wird die Lämmer mit seinen Armen heben und an seiner Brust bergen und diejenigen mit Nachkommenschaft sanft führen. Isaias.

gelegt: Dieses Bild wurde in unserer Zeit von Picasso wiederbelebt, dessen Statue eines Mannes mit einem Schaf, entstanden während der Besetzung von Paris, das Schaf – ein traditionelles Symbol der Schwäche – bei dem Versuch darstellt, sich seinen Armen zu entwinden. Obwohl er keine religiösen Überzeugungen besaß, die ihn hätten inspirieren können, kam Picasso mit seiner Vorstellung den Darstellungen früher christlicher Künstler aus dem dritten Jahrhundert sehr nahe, oder auch den vorchristlichen Kunstwerken, denn dieses Bild wurzelt in den heidnischen Totenbräuchen. Ein früher christlicher Grabstein trägt eine Botschaft des Verstorbenen, in der er sich selbst als »Jünger des wahrhaftigen Hirten, der seiner Schafherde im flachen und bergigen Land Nahrung bietet und einen weiten, allsehenden Blick hat« beschreibt.

Es wäre verwunderlich, wenn das imaginäre Bild Jesus nicht gelegentlich auch Züge des Jupiters, Zeus oder Apollos tragen würde, die überall in der römischen Welt gegenwärtig waren. Das Bild eines Christus von schöner und vornehmer Gestalt stammt jedoch nicht aus biblischen Quellen. Männliche Schönheit wird in hebräischen Schriften nur in allgemein gehaltenen Begriffen geschildert. Saul wird als groß und schön, David als rotwangig und mit heller Haut beschrieben. Eine helle Haut schien damals als königliches Attribut gegolten zu haben. Im »Lied der Lieder« entschuldigt sich die anmutige Shulamite für ihre Dunkelhäutigkeit, »denn die Sonne habe sie verbrannt«. Salomon dagegen ist »weiß und rotwangig«, sein Haupt wie »aus feinstem Gold«. Es ist unwahrscheinlich, daß der Nachkomme einer Jungfrau aus einem palästinischen Dorf Züge dieser Heldengestalten getragen hat. Ein naheliegender Gedanke tritt schließlich an die Stelle dieser endlosen Mutmaßungen: das Wesen der im Menschen verkörperten Botschaft.

Die Form, die schließlich über rivalisierende Kulte die Oberhand gewann, war eine Mutation des Judaismus, der in seinem reinsten Ausdruck eine so erhabene Vorstellung vom Wesen Gottes aufrechthielt, daß schon der Gedanke der Inkarnation der Blasphemie gleichkam. Die Vorstellung von Göttern, die unter den Menschen wandeln und irdische Qualen ertragen war, jedoch der gesamten hellenischen Welt vertraut, wo sie in Legenden und mythologischen Darstellungen einer nicht allzulang zurückliegenden Geschichte der Menschheit ihren Ausdruck fand. Der christliche Glaube, daß der Schöpfer den Menschen nach seinem Ebenbild schuf und ihm durch seine Geburt als Wesen aus Fleisch und Blut zum Heil verhalf, stellte die orthodoxe jüdische Glaubenslehre in Frage und stand im Widerspruch zu allen Bemühungen des Judaismus, die Gottheit zu vergeistigen. Zum Schicksal Jesu gibt es in der hellenischen Mythologie keine Parallelen; jedoch wurde der althergebrachte Glaube an Götter, die unter den Menschen weilen und menschliche Abenteuer bestehen, um dann an den Ort ihrer Herkunft zurückzukehren, im christlichen Evangelium wiederbelebt. Diese hellenischen Überlieferungen versetzten die Menschen darüber hinaus in die Lage, den neuen Glauben mit ihren eigenen Bildern zu beleben. Die Menschenverehrung, die im Kern des Hellenismus verwurzelt war, hatte sich als trügerisch erwiesen. Durch das Verschmelzen heretischer Gedanken mit dem orthodoxen jüdischen Glauben waren die Christen jetzt in der Lage, der Menschenverehrung in bisher unbekannten Ausmaßen nachzukommen.

Aus der *Historiae,* Szenen und Ereignisse aus den Evangelien, mit denen die frühern christlichen Kirchen geschmückt wurden, entsprang eine Anthologie biblischer Gestalten, an der sich die Künstler und Bildhauer im

Mittelalter orientieren sollten. Der christliche Glaube wurde von Zeugnissen in zahllosen Schriften untermauert, sowie dem Alten Testament und den Evangelien, die bis auf die Schöpfung zurückgingen. Auf diesen Ursprung wurde großer Wert gelegt. Wie ein moderner Gelehrter, F. van der Meer, betonte, vergaßen die Künstler bei der Darstellung von Christi Geburt nie, die Grotte zu zeigen, in der sich diese ereignete, noch fehlte bei der Szene am Ostermorgen das Grab, das jeder, der nach Jerusalem ging, mit eigenen Augen sehen konnte. Zu anderen Szenen aus dem Gebiet, das als das Gelobte Land bekanntwerden sollte, die in der Kirchenhistoriae auftauchten, gehörten die Eiche Abrahams, die Salzsäule, die zwölf Steine im Jordan, das Haus Raabs in Jericho und die Höhle, in der Lazarus begraben war. Die Geschichte von Lazarus, der von Jesu zum Leben erweckt wurde, war besonders beliebt. Darstellungen dieses Ereignisses wurden in den Katakomben, auf Friedhöfen sowie in frühen christlichen Kirchen gefunden. Sie dokumentierten auf eine leicht verständliche Art, daß Jesus die Wahrheit

Majestätischer Christus. Miniaturdarstellung. Aus einem für die Westminsterabtei verfaßten Psalmbuch. Ca. 1200. British Museum, London.

In den frühesten christlichen Mitteilungen, die das römische Gesetz duldete, wurde Christus als Wunderwirker und Lehrer – seinen wichtigsten Rollen in den Evangelien – und als Hüter des göttlichen Gesetzes dargestellt. Auch erscheint er ruhmreich gekrönt in der Haltung eines himmlischen Königs.

Thronender Christus (Ausschnitt). Teil eines Elfenbeindiptychons. 6. Jahrhundert. Byzantinisch. Bibliothèque Nationale, Paris.

30

31

Oben
Christus und Jünger (Ausschnitt).
Aus der Bury-Bibel. 1121 – 1148.
Corpus Christi College,
Cambridge.

Rechts
Majestätischer Christus.
Miniaturdarstellung. Aus dem
Gerokodex. 10. Jahrhundert.
Hessische Landes– und
Hochschulbibliothek, Darmstadt.

sprach, wenn er den Sieg über den Tod prophezeite. Die Regierung des Imperiums hatte politische Gründe, aufgrund derer sie den neuen Glauben nicht willkommen hieß. Die Rede der Christen von der Bekehrung der übrigen Welt und dem Errichten eines neuen Königreichs verschaffte ihnen eine Sonderstellung. Ihr Glaube war unvereinbar mit dem Gemeinschaftsgedanken eines Riesenreiches. Obwohl es vielen leicht gewesen wäre, dem Regime Respekt zu zollen, zogen sie in bewußter Mißachtung des Gesetzes den Tod vor. Dadurch machten sie sich noch verdächtiger. »Siehst du nicht die Christen, die wilden Tieren vorgeworfen werden, damit sie ihren Herrn verleugnen?« fragte ein Schreiber aus dem zweiten Jahrhundert. »Siehst du nicht, daß ihre Zahl um so größer wird, je mehr von ihnen gefoltert werden? Diese Dinge entspringen keiner menschlichen Kraft. Sie sind die Macht Gottes, der Beweis seiner Gegenwart.« Erzählungen sprechen von römischen Magistraten, die angeklagte Christen um ihrer selbst Willen ersuchten, nur einen minimalen Beweis ihrer Gehorsamkeit zu liefern, damit das Gesetz Milde walten lassen könne – doch umsonst.

Die frühen Christen riefen ebenso das Mißfallen der orthodoxen jüdischen Obrigkeit hervor. Hatten sie in ihren

Figur des Erlösers. Ca. 1015. Musée de Cluny, Frankreich.

Augen bereits das Erste Gebot gebrochen, indem sie den Menschen als göttlich, der Allmächtigkeit ebenbürtig, ansahen, setzten sie sich jetzt hochmütig auch über das zweite Gebot hinweg, indem sie ihren Glauben durch Bildnisse verbreiteten. Der hebräische Einwand, das Schaffen durch Bildnisse diene der Abgötterei, wurde unverhohlen mißachtet.

In dieser Hinsicht konnten die Christen zu ihrer Rechtfertigung die Bibel anführen. Die biblische Genesis, das 1. Buch Moses, spricht von der Freude Gottes über die

Majestätischer Christus. (Ausschnitt). Fresko. Zweite Hälfte des 11. Jahrhunderts. S. Angelo in Formis, Capua.

Schaffung einer so wunderbaren Welt. Und im Exodus, dem 2. Buch Moses, erfahren wir, wie Gott Künstler und Handwerker mit Weisheit, Wissen und Erkenntnis sowie handwerklichen Fähigkeiten aller Art ausstattete, um erbauliche Werke entstehen zu lassen, um Gold, Silber und Messing zu formen, Steine zu behauen und Holz zu schnitzen.

Die Techniken waren heidnischen Ursprungs. Wie der Historiker Arnold Toynbee es ausdrückte, übernahm die christliche Kirche die hellenische Bildniskunst, die griechische und lateinische Sprache, die hellenische Philosophie und die politischen Institutionen der Römer, um auf diese Weise eine Verbindung zu potentiellen Übertretern zum christlichen Glauben zu schaffen. Es gelang ihr nicht nur, wirkungsvolle Brücken der Verständigung zu schlagen, sondern sie erfüllte darüber hinaus das ausgedorrte hellenische Gerippe mit neuem Leben. So wurden die Christen durch ihren missionarischen Eifer im untergehenden römischen Imperium zu einer treibenden kulturellen Kraft. Ihre Kunst, obwohl sie zunächst nur im Verborgenen blühte, war eine Schöpfung von Menschen, die ihrer Rettung durch Jesus Christus gewiß waren. Sie übermittelte die gleiche Botschaft wie ihre Gottesdienste und Lebenshaltung, nämlich daß den Armseligen die Welt gehört – eine absurd erscheinende, wenn auch irgendwie bedrohliche Vorstellung, die den byzantinischen Staat wachsam werden ließ.

Christus der Allmächtige. Mosaik. 11. Jahrhundert. Kloster von Daphni, Griechenland.

Kirchenfenster. 11. Jahrhundert.
Ursprünglich in der Klosterkirche
von Wissembourg, Elsaß.
Straßburger Museum.

Zu keiner Zeit ist ein ehrgeiziges Regime sanft mit den
Anhängern einer fremden Lehre umgegangen. Obwohl das
römische Recht in den Jahren des Niedergangs nicht immer
unbarmherzig angewandt wurde, blieb die Verehrung eines
fremden Gottes ein Verstoß gegen bestehende Gesetze, der
jederzeit geahndet werden konnte, wenn die Gefahr religiösen
Aufruhrs gegeben schien. Zu Beginn des 4. Jahrhunderts war
diese Gefahr anscheinend im Verschwinden begriffen.
Vielleicht hatte sich auch die Überzeugungskraft des
römischen Glaubens an eine rein irdische Gottheit erschöpft:
hatte sich doch ein römischer Herrscher nach dem anderen
zum Gott erklärt und schließlich ein sehr ungöttliches Ende
gefunden. Als Kaiser Konstantin den christlichen Glauben
annahm, gab er seinen eigenen Anspruch auf Göttlichkeit auf
und erklärte sich schlicht zu »einem von Gott bestellten
Bischof«, dessen Aufgabe es war, sich um Belange zu
kümmern, die nicht in den Bereich der Kirche fielen, anstatt
selbst Sakramente zu spenden. So waren die Christen auf
anscheinend wunderbare Weise von ihrer Last befreit worden.
Im Jahre 313 wurden ihnen alle bürgerlichen Rechte und die
Freiheit zur Ausübung ihrer Religion zugesprochen. Im Jahre
381 gründete Theodosius I. den offizellen christlichen Staat.
Und eine Kultur, die sich lange im Dunkeln verbergen mußte,
gelangte endlich ans Licht.

Christus der Allmächtige.
Wandgemälde. Kirche des
Klosters Panagia Tou Arakou,
Lagoudera, Zypern.

35

Vom Hirten zum König

Die römische Kunst stand im Zeichen der Gewalt des Staates, die christliche im Zeichen der Macht des Wortes. Sie war in den frühen Kirchen, die oft in den Häusern wohlhabender Konvertierter eingerichtet worden waren, vielfach neben den bereits vorhandenen hellenischen oder römischen Wandmalereien anzutreffen. An diesen Stätten fanden z. B. Taufen von Erwachsenen statt, die zum Christentum übertreten wollten. In einer Dorfgemeinde aus dem 3. Jahrhundert namens Dura-Europos am Euphrat wurden Hinweise auf die Existenz einer christlichen Gemeinde entdeckt, deren Baptisterium mit Gemälden geschmückt war, die Christus als göttlichen Hirten und Wandelnden auf dem Wasser zeigten. Diese Werke zeugen von der gleichen Geisteshaltung wie ähnliche Relikte, die in den Katakomben und frühen christlichen Friedhöfen gefunden wurden. Auch die christliche Steinsargkunst Südeuropas verrät trotz ihrer Schwerfälligkeit eine große Ausdruckskraft. Oft sind die einzelnen Flächen durch Säulen oder stets wiederholte Christusfiguren unterteilt. Er wird meist größer als die übrigen Figuren dargestellt, um so seine über das Leben hinaus reichende Gegenwart und Kraft zum Ausdruck zu bringen.

Allmählich beginnen die Überzeugungen der Christenheit, sich in diesen zuversichtlichen Bildern vom »Wächter und Hirten unserer Seelen« widerzuspiegeln. Es handelt sich hier jedoch um die Veranschaulichung einer symbolischen Gegenwart und nicht um den Versuch, den wirklichen Menschen darzustellen. In Dura-Europos erscheint Christus in einem Wandgemälde von ca. 232 in seiner symbolischen Rolle als Lehrer, mit klassischer Robe bekleidet und Sandalen an den Füßen, einer Schriftrolle in der linken Hand, während die rechte erhoben ist, wobei die beiden inneren Finger ausgestreckt und die beiden äußeren zur Handfläche gebogen sind: diese Haltung sticht unter allen anderen hervor, in denen Christus seit diesen frühen Tagen gezeigt wurde. Auch die Natur findet allmählich Eingang in diese Bilder, als drücke sich hierin der Glaube aus, daß die Freude an der Schönheit der Welt an sich schon ein Akt der Gottesverehrung sei.

Später, als das Christentum zur Staatsreligion und Konstantinopel, das ehemalige Byzanz, Hauptstadt der Welt geworden war, kam es zu einer Blüte der christlichen Darstellungskunst. Biblische Szenen, in denen die Gestalt Christi nicht fehlte, waren im 5. Jahrhundert weit verbreitet. Uns ist ein Brief aus dem 4. Jahrhundert an den Statthalter Olympiodorus in Konstantinopel erhalten, in dem dieser dringend ersucht wird, standhaft zu sein und in der Apsis der Kirche das Kreuz darzustellen und das Mittelschiff mit Szenen aus dem Alten und Neuen Testament zu schmücken – anstelle der Jagd- und Fischszenen, die der Statthalter offensichtlich vorgeschlagen hatte. Christus erscheint oft in solcher Umgebung, unmittelbar neben Bauern und Jungfrauen vom Land, einem von Kirchenmalern bevorzugtem Motiv. Ein Mosaikpflaster aus Jerusalem, das sich heute im Archäologischen Museum in Istanbul befindet, zeigt einen Christus mit frischem Gesicht in der Gestalt des Orpheus, inmitten einer halbheidnischen Runde, darunter ein Zentauer und ein Satyr. In der klassischen Mythologie ist Orpheus der Bezähmer der wilden Tiere und einer der liebenswerteren Götter, der in die Welt der Toten hinabstieg und als Lebender wieder emporkam. Ein besonders schönes Mosaik vom göttlichen Hirten in Ravenna im Mausoleum der Galla Placidia zeigt Christus als jungen Hirten in einer felsigen Landschaft, ein Schaf drückt sich an seine Hand, der Hirtenstab hat die symbolische Form des Kreuzes. Wiederum als bartloser Jüngling erscheint er im Oratorium Christus Latomas in Saloniki, wo er in der Verkörperung Emmanuels, der Quelle lebendigen Wassers, dargestellt ist und in der

In den meisterhaften Mosaiken von Ravenna, die
eine Synthese zwischen römischer und östlicher
Kultur darstellen, erscheint Christus wiederum
jugendlich und bartlos, umhüllt von einer Toga in
königlichem Purpur. In anderen Mosaiken wird er
in Szenen aus den Evangelien gezeigt, die die
Gläubigen mit dem ernsten, bärtigen Gesicht und
den wallenden Gewändern vertraut machten, die zu
seinen üblichen Attributen werden sollten.

Christus beim Trennen der Schafe von den Ziegen. Mosaik. Frühes 16. Jahrhundert. S. Apollinare Nuovo, Ravenna.

Kirche San Vitale in Ravenna, wo er im Chormosaik eine unmißverständliche Ähnlichkeit mit einem so irdischen Potentaten wie dem Kaiser Justinian zeigt.

Zu diesem Zeitpunkt zeugt die christliche Kunst von einer neuen Größe. Sie läßt eine höhere Welt entstehen, ein himmlisches Königreich auf Erden, in der Christus Herr über ein gehorsames Gefolge von Propheten, Aposteln, Heiligen und Märtyrern ist: hier sind alle Verheißungen Wahrheit geworden und was für die Zukunft prophezeit ist, wird

37

Christus in Gefangenschaft
(Ausschnitt). Mosaik.
12. Jahrhundert. St. Markus,
Venedig.

Unten
Der Einzug nach Jerusalem
(Ausschnitt). Mosaik.
12. Jahrhundert. St. Markus,
Venedig.

geschehen. Diese Zeichnungen und Mosaiken sprechen nicht vom Schmerz und der Demütigung des Erlösers am Ende seines Lebens, jenen Aspekten seiner Existenz, mit denen sich die frühesten christlichen Künstler nicht auseinandersetzten. »Derjenige, der gehängt wurde«, sagt das Deuteronomium, das 5. Buch Moses, »wird verflucht«. Das Gesicht schaut von farbigen Wänden herab, weder furchtbar noch mitleidserregend, sondern mit einem Ausdruck geistiger Herrschaft. Es spricht in verschiedener Hinsicht für die Verschmelzung östlicher und westlicher Kulturen, daß es den ruhigen Mittelpunkt des christlichen Glaubens ausdrückt, frei von Qualen und Sorgen. Der östliche Stil, bei dem ein Hintergrund in leuchtend bunten Farben jede räumliche Konzeption zurücktreten läßt, scheint der Leichtigkeit und Freizügigkeit der hellenistischen Tradition zu weichen, die von Licht und Schatten, Bewegung und erhabener Anmut gekennzeichnet ist.

Unter Justinian wurde die Kirche der Heiligen Weisheit in Konstantinopel in noch prachtvollerer Gestaltung neu geweiht, sodaß der Kaiser sich rühmen konnte, selbst Salomon übertroffen zu haben. Die Hagia Sophia bleibt ein Meisterstück, eine Demonstration irdischen Reichtums, dem himmlischen Ruhm geweiht. Konstantin und Justinian sind beide in den Mosaiken dargestellt, als sie die Kirche und den Staat der Mutter Gottes darreichen. Diese Szenen und andere, kaum weniger prachtvolle litten durch die Hände der Bilderstürmer. Doch die Basilika übermittelt noch etwas von der »wunderbaren Anmut« eines Gebäudes, das »ohne festen Halt in der Luft zu schweben scheint«, wie sie der damals lebende Historiker Prokopius beschreibt. Diese Vergeistigung überkommener klassischer Formen wurde zu Recht als erste echte christliche Kunst großen Stils bezeichnet. Man kann sagen, daß die erste christliche Periode während des 7. Jahrhunderts endete. Zu diesem Zeitpunkt waren die Errungenschaften der vorausgegangenen dreihundert Jahre, in denen weit über der heidnischen Kunst stehende intellektuelle und geistige Qualitäten reiften, mit dem frühen byzantinischen Stil verschmolzen.

Ravenna war Hauptstadt einer Provinz geworden, die den byzantinischen Staat im Westen repräsentierte, und dadurch zum Schmelztiegel der beiden großen Kulturen, der römischen und östlichen, wurde. Die Kirche San Apollinare Nuovo, die 549 von Maximilian geweiht wurde, ist ein Museum meisterhafter Mosaiken. Eine Prozession von Märtyrern, die einen Fries aus Mosaiken bildet, säumt auf einer Seite das Mittelschiff und führt bis hinunter zu dem thronenden Christus am Ostende. Darüber befinden sich Heiligenfiguren in Nischen, die wie Statuen wirken. Auf jedem der darüber liegenden Fenster ist eine Szene des Kreuzweges dargestellt, ebenfalls in Mosaik. Auf der Nordwand ist Christus dargestellt, während er verschiedene Wunder vollbringt. Sein Gesicht ist jugendlich und bärtig, er trägt eine Toga in römischem Purpur. Ein Bild zeigt ihn thronend zwischen zwei Engeln, als er die Schafe von den Ziegen trennt. Auch hier ist sein Gesicht ausdruckslos, ähnlich dem eines jungen Patriziers. Im Gegensatz dazu ist Christus in einem Mosaik gleichen Datums, in der Apsis der Kirche der Hl. Jungfrau des Klosters St. Katharina auf dem Berg Sinai, das die Verwandlung darstellt und seit den Tagen Justinians unverändert ist, in weißen Gewändern und mit strengem, bärtigem Gesicht dargestellt.

Ebenfalls in Ravenna existiert eine der ältesten bildlichen Darstellungen der Todesangst Christi im Garten. Diese Szene entbehrt jeglicher Dramatik. Die Gestalt Christi, die Hände zum Gebet ausgestreckt, verrät nichts von dem tragischen Todesbewußtsein, die der Geschichte ihre wahre Bedeutung verleiht. Diese Interpretation ist typisch für die Stimmung der christlichen Kunst der damaligen Zeit. Die geschichtsdarstellenden Künstler nahmen von schmerzvollen Höhepunkten, gewalttätigen oder grausamen Handlungen, dem Anblick von Trauer oder Furcht Abstand. Diese schönen Gesichter, oft so strahlend, als seien sie für den mittelalterlichen Betrachter geschaffen, wirken leblos, als sei die Bewegung an einem Punkt erstarrt, bevor Blut zu fließen beginnt, Tränen vergossen werden und Herzen zerspringen.

Damit soll nicht gesagt sein, daß sie nicht ergreifend sind. Selbst im modernen Betrachter, der meist wohl eher als Tourist und nicht als Gläubiger angezogen wird, wecken die großen Mosaiken in Ravenna eine Welt intensiver geistiger Vorstellungen, die allen körperlichen Übeln und Leiden weit entrückt ist, schwebend in einem Universum aus blauem Himmel und goldener Sonne. Für den Gläubigen haben die Illustrationen vertrauter Geschichten einen zusätzlichen symbolischen Wert. Die Taufe Christi wird zur göttlichen Offenbarung, von den Aposteln bezeugt. Das Paradies wird zum metaphorischen Garten, der den christlichen Soldaten Ruhe und Erholung gewährt. Auch sehen wir hier in Erfüllung der Prophezeiungen Isaias den Wolf mit dem Lamm, den Leoparden zu Füßen des Kindes. Christus selbst thront auf dem Gipfel dieser Welt.

Die Entwicklung der christlichen Kunst zerfiel durch doktrinäre Auseinandersetzungen in einzelne Strömungen und gipfelte in einem Zustand, der heute als Rückschlag für die darstellende Kunst bezeichnet würde. Im Jahre 1726 ordnete Leo III., der Isaurier, an, das Bildnis Christi aus seinem Palast zu entfernen und durch ein Kreuz zu ersetzen. Damit war das Signal zu einer erheblichen Straffung der kirchlichen Autorität hinsichtlich der religiösen Darstellungskunst gesetzt, die teilweise auf eine Wiederbelebung der jüdisch-orthodoxen

Unten
Die Prozession der Märtyrer (Ausschnitt). Mosaik. 5. bis 6. Jahrhundert. S. Apollinare Nuovo, Ravenna.

Oben
Thronender Christus (Ausschnitt). Mosaik. Ca. 1300. Hagia Sophia, Istanbul.

Einwände gegen die Bilderanbetung, teils aber auch auf das Beispiel des Islams mit seinen dogmatischen Ansichten über figurative Äußerungen zurückzuführen war. Der Kaiser ließ alle Ikonen abschaffen und Fresken und Mosaiken von den Wänden kratzen oder weiß übermalen. Es kam allerorts zu einem passiven Widerstand. Schließlich waren diese Bilder ein Testament der Geburt, des Wachstums und Überlebens der Kirche selbst. Schließlich fand Damascene, einer der Väter der Kirche und griechischer Abstammung, eine Regelung, die die Verehrung religiöser Bilder gestattete, sofern sie das Bildnis Gottes wachhielten. Durch die Entfernung oder Zerstörung von Werken in christlichen Kirchen der östlichen Welt sind einige Lücken entstanden. Aber zu gegebener Zeit tauchte das Bild Christi an den Toren des kaiserlichen Palastes wieder auf, die Dekorationen der Hagia Sophia wurden restauriert und die Gottesdienste fanden wieder in Kirchen statt, deren Wände von den Bildern des Glaubens sprachen.

Die östliche Kirche scheint von ihren Gläubigen eine strengere Disziplin hinsichtlich der Formen der Gottesverehrung gefordert zu haben, was sich auch auf die religiöse Kunst auswirkte. Nach der hochgeistigen orthodoxen Auffassung galt es nicht, die Welt in phantasievolle Bilder umzusetzen. Christus durfte daher nur in nüchterner menschlicher Gestalt gezeigt werden. Für die Maler wurden Regeln aufgestellt, die festlegten, wie die Szenen aus dem Alten Testament und dem Leben Christi, die Gleichnisse, Wunder, Märtyrergeschichten und dergleichen darzustellen seien. Das römische Gesetz, das unter Justinian aufgezeichnet worden war, um die christliche Religion in seinen Schutz zu stellen, sah Strafen für Ketzerei vor. Jedem Bekehrten, der wieder dem Heidentum verfiel, stand die Exekution bevor. Juden durften keine Christen bekehren oder christliche Sklaven in ihre Dienste nehmen. Der Kaiser rief die Autorität des Papstes zu Hilfe, damit dieser als Haupt des Kirchenstaates für die Einhaltung der Gesetze sorgen solle. Nach den Umstürzen der Bilderstürmer maßen die Herrscher ihrer Beziehungen zu Gott und der himmlischen Heerschar

Wandgemälde (Ausschnitt). 13. Jahrhundert. Heiliggrabkapelle. Kathedrale von Winchester, England.

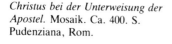

Christus bei der Unterweisung der Apostel. Mosaik. Ca. 400. S. Pudenziana, Rom.

Rechts
Schöpfer der Virgo inter Virgines:
Die Straße nach Golgatha.
(Ausschnitt). Ca. 1495. Teil eines
Triptychons. Bowes Museum,
Yorkshire.

Wie Wasser bin ich hingeschüttet,
es lösen sich all meine
Gebeine;
Mein Herz ist gleich dem Wachs geworden,
zerflossen in meiner
Brust.
Trocken wie Scherben ist
mein Gaumen,
und meine Zuge klebt an meinem Schlund.
Sie durchbohren mir Hände
und Füße,
Ich kann all meine Gebeine zählen.

Hieronymus Bosch:
Kreuztragender Christus. Ca.
1510. Museum Voor Schone
Kunsten, Gent.

von Heiligen und Märtyrern eine große Bedeutung bei.
    Zu dieser Zeit wird das ruhige, gebieterische Gesicht zu
einem der hervorstechendsten Merkmale der christlichen

Antonio Francesco Lisboa:
Kreuztragender Christus
(Ausschnitt). Mehrfarbige
Holzschnitzerei. Ca. 1796.
Congonhas do Campo, Brasilien.

El Greco: *Kreuztragender
Christus*. Spätes 16. Jahrhundert.
Prado, Madrid.

42

Atelier von Dirck Bouts:
Dornengekrönter Christus. Ca.
1475. National Gallery, London.

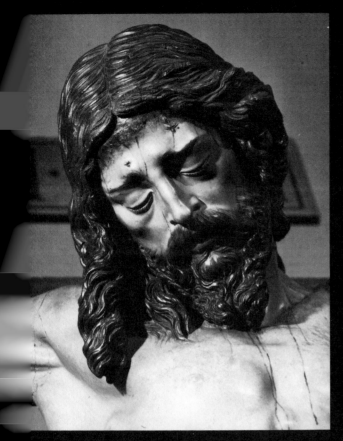

Juan de Misa: *Christus am Kreuz* (Ausschnitt). Kapelle der Universität von Sevilla, Spanien.

Gegenüber
Jan Mostaert: *Dornengekrönter Christus*. Ca. 1510. National Gallery, London.

Unten
Meister von Liesborn: *Haupt des gekreuzigten Christus*. Ca. 1480. National Gallery, London.

Ikonographie. Mit einigen bemerkenswerten Ausnahmen scheint es, als ob jetzt alle Versuche realistischen Porträtierens – eine in römischen Zeiten mit beträchtlichem Erfolg gepflegte Kunst – als unziemlich angesehen wurden, sofern Gottes Sohn betroffen war. Die Künstler empfanden jedoch keine solchen Hemmungen, wenn es darum ging, andere Gestalten der biblischen Geschichte darzustellen. Von Anfang an kamen ihnen Bilder zu Hilfe, die veranschaulichten, was in den Evangelien über ihre Wesen und ihre Persönlichkeit stand: der vom Wetter gegerbte Petrus, dessen offenes Gesicht von einem krausen Seemannsbart umrahmt war; das ausdrucksstarke, tief gefurchte Gesicht des Paulus; der knabenhafte Apostel Johannes mit seinen strahlenden Augen; und vor allem der Täufer, mit tragisch schönem Gesicht unter den dicken, schwarzen Locken. Kunstgelehrte haben die ausdrucksvolle Darstellung der Augen in der frühen christlichen Malerei hervorgehoben – glühend vor innerem Leben, Zeugnisse des Geistes. Auf dem Bild eines *Thronenden Christus,* das Mitte des 6. Jahrhunderts in San Vitale, Ravenna entstand, zeigen die weit geöffneten, betrachtenden Augen in dem jungen Gesicht einen Ausdruck geheimnisvoller Menschlichkeit; der Strahlenkranz um seinen Kopf verleiht ihm etwas Göttliches.

Dieses Bild ist eines der ersten, auf dem überhaupt ein Strahlenkranz oder Heiligenschein zu sehen ist, der ab dem 6. Jahrhundert zu einem wichtigen Attribut vieler Christusbildnisse wird und auch Gestalten ziert, deren Erhabenheit besondere Betonung verdient. Er geht auf heidnische Ursprünge zurück, die uns nicht genau bekannt sind. Die das Haupt umgebenden Lichtstrahlen entspringen vielleicht dem Bild der Sonne, das in allen Zeitaltern ähnlich war. Möglicherweise wurde ein Lichtschimmer auch als Zeichen der göttlichen Macht angesehen. Zum Gedenken an Konstantin nach dessen Tod geprägte Münzen zeigen ihn mit einem Strahlenkranz, obwohl er im Gegensatz zu vielen seiner Vorgänger keinen Anspruch auf Göttlichkeit erhob. Auf Mosaiken in der Kirche San Vitale in Ravenna ist nicht nur der Kaiser Justinian, sondern auch die Kaiserin Theodora mit Strahlenkranz dargestellt. Diese und viele andere Beispiele nicht göttlicher Personen, die man dennoch mit diesem Attribut ausstattete, weisen darauf hin, daß sich die christlichen Künstler an eine Tradition hielten. Der Strahlenkranz war inzwischen jedoch zu einem vollendeten Stilmittel geworden. In einigen Gruppendarstellungen von Heiligen und Märtyrern, die alle mit diesem goldenen Kranz geschmückt sind, ist die Wirkung so stark, daß der Zuschauer sich geblendet fühlt. Unter rein dekorativem Aspekt wurde dieses Stilmittel am wirkungsvollsten in der frühen christlichen Bildniskunst angewandt. In späteren Zeiten nahm er eine schlichtere Gestalt an und erschien zunächst als flacher Ring, später in perspektivischer Darstellung wie eine schwebende Scheibe, die eher als fromme Mahnung und nicht mehr als ein Symbol der Herrlichkeit diente.

Bildnisse von Christus zeigen ihn gelegentlich als Weinberg, der im Alten Testament als ein Symbol der Auserwählten oder des unerschütterlichen, wachsenden Glaubens erscheint. Jesus eigene Worte – »Ich bin der Weinberg« – haben diesem Bild eine zusätzliche Aussagekraft verliehen. Es ähnelt in seinen Zügen oft der Darstellung des Hirten, die unter allen Christuspersonifizierungen die dauerhafteste war. Sie paßt in die christlichen Glaubensvorstellungen und repräsentiert eine Stiländerung, die keinem klassischen Gottesbild geziemt hätte. Die Anwesenheit von Schafen in der Kirchendekoration weist auf die christliche Herde hin. In verselbständigter Form, als stilisierte, kreuztragende Gestalt, das Haupt mit einem Strahlenkranz umgeben, wurde das Lamm zu einem in der westlichen Kirche weithin gebräuchlichen Symbol. Dieses Bild geht auf biblische

Rogier van der Weyden: *Die Jungfrau und der Hl. Johannes* und *Der gekreuzigte Christus.* 15. Jahrhundert. John G. Johnson Collection, Philadelphia Museum of Art, Philadelphia.

Ursprünge zurück, insbesondere auf die Erwähnung des göttlichen Opferlammes durch den Hl. Johannes, das die Sünden der Welt hinwegnimmt, oder das Gleichnis des Hl. Lukas vom verlorenen Schaf in einer Herde von hundert: »Verläßt er nicht die übrigen neunundneunzig, um nach dem einen Schaf zu suchen, bis er es gefunden hat ... Ich sage Euch, im Himmel wird größere Freude herrschen über einen reuigen Sünder als über neunundneunzig Gerechte, die keine Reue haben müssen.« Eine ähnliche Bedeutung liegt in dem symbolischen Christus, der weder in tierischer noch menschlicher Gestalt, sondern oftmals in Kryptogrammen verborgen ist. Eines davon ist der gefangene Fisch, der eine Art geheimes Zeichen für das Wohl des Gläubigen gewesen sein muß. Das griechische Wort für Fisch, Ichthus, setzt sich aus den Anfangsbuchstaben der griechischen Wörter für Jesus, Gottessohn und Erlöser zusammen. Dieses Akrostichon kam den frühen Christen entgegen. Es darf jedoch nicht übersehen werden, daß dem Fisch bereits früher in religiösen Kulten und dem Judaismus eine symbolische Bedeutung zugedacht wurde. Die Christen erweiterten die Bedeutung des

Die Kreuzigung. Aus der
Arundel-Handschrift.
12. Jahrhundert. British
Library, London.

Fischsymbols, indem sie es dem Brunnen lebendigen Wassers in der zukünftigen Welt gleichsetzten. Ein Theologe aus dem 3. Jahrhundert, Tertullian, beschrieb die Menschheit als »kleine Fische«, benannt nach dem großen Ichthus oder Jesus – Geschöpfe, die nur in dem Element Wasser, in dem sie geboren wurden, bestehen können. Auch in manchen Erzählungen des Evangeliums erschienen Fische symbolisch oder in eigentlicher Form wie z. B. bei der Speisung der Fünftausend mit ihrem allegorischen Hinweis auf das himmlische Königreich. Ein Wandgemälde in der römischen Katakombe des St. Callistus zeigt einen Korb mit Brotlaiben, der auf dem Rücken eines Fisches ruht – ein verschlüsselter Hinweis auf das Abendmahl.

Aus dem griechischen *XP*, Chi-Rho, den beiden ersten Buchstaben des Wortes »Christos«, entwickelten die Christen ein eigenes Schriftbild. Es stellt eine eigenartige Inschrift dar, die Erinnerungen an die Kreuzigung und, in einigen Versionen, den Hirtenstab erweckt. Oft finden wir sie von einem Lorbeerkranz umwunden, der aus der römischen Kunst entliehen wurde. Anfangs stellte man jedoch keinen direkten Bezug zum Leiden Christi her: war doch die Kreuzigung ein ebenso unehrenhafter Tod wie jede andere bewußt grausame Tötung, die den gemeinsten Kriminellen vorbehalten war. Erst gegen Ende des 6. Jahrhunderts wird das Kreuz allmählich zu einem mächtigen Symbol des triumphierenden Christus.

Unter dem Einfluß der östlichen Kirche entsteht eine Gestalt Christi, die von erhabener Geistigkeit gekennzeichnet ist. Dieses Bildnis wurde durch die Kunst zu einer vertrauten Vorstellung der gesamten Christenheit. Verschwunden sind jetzt die Züge des knabenhaften Hirten oder des Opferlamms. Das Imperium sah sich allerorts von Barbaren bedroht. Anstelle des Hirten entstand jetzt der Wunsch nach einem heiligen Herrscher, einem Gebieter und Beschützer. Er erscheint, eine Gestalt furchterregender Autorität, als der Schöpfer von Himmel und Erde, als himmlischer Potentat, wie er zum Beispiel über der Kathedrale von Cefalu in Sizilien thront.

Christus wird jetzt zur Inkarnation dieser Ikonenbildnisse. Er sitzt auf einem prächtigen Thron und betrachtet uns, die Menge, mit bärtiger Würde, das Evangelium in seiner linken Hand, während die rechte Segen spendet. In dieser Verkörperung ist er uns selbst in unserer Zeit noch vertraut und überdauerte sogar die Vorstellungen der Renaissancekünstler, deren vermenschlichende Darstellungsweise der wunderbaren Wirklichkeit oft am nächsten zu kommen scheint.

In der Ikone besaßen die Christen ein sakramentales Bildnis, das Bestandteil der Gottesverehrung und bewegliches Symbol der göttlichen Autorität wurde, das bei den Kreuzzügen gegen die Heiden oder in Schlachten mitgeführt werden konnte wie es z. B. der Kaiser Heraklios im Feldzug gegen die Perser einsetzte. Nach und nach wurde die Ikone selbst zu einem heiligen Gegenstand, durch den die Gläubigen in eine direktere Beziehung zu Gott treten konnten. Diese Haltung wurde in einem 787 abgehaltenen ökumenischen Konzil damit gerechtfertigt, daß »die dem Bildnis erwiesene Ehre der wirklichen Gestalt zugedacht ist und daß der Anbeter eines Bildnisses die dargestellte Person anbetet«. Diese Anerkennung der Ikone als heiliger Gegenstand, die in gefährliche Nähe zu der im Evangelium untersagten Bilderanbetung gerückt war, beruhte auf der Lehre von der Inkarnation. Christus selbst, der in greifbarer Gestalt als das Ebenbild des Vaters erscheint, gab das erste Beispiel. Wandte man dieses Beispiel an, so war ein von Menschen geschaffenes Ebenbild des Sohnes nicht weniger als ein

Die Festnahme Christi
(Ausschnitt). Aus dem »Book of
Kells«. Ca. 800. Trinity College
Library, Dublin.

Triptychon von Harbaville
(Ausschnitt). Elfenbein.
10. Jahrhundert. Louvre,
Paris.

Bildnis von Gott selbst, so wie die Bibel die direkte
Offenbarung des Wortes war.

Im Westen zeigen sich diese Einflüsse in der religiösen
Kunst des Mittelalters, die seltsame Wege ging und sich nur
in stilisierten Darstellungen äußerte. Irische Mönche, die am
Book of Kells arbeiteten, interpretierten die ikonische
Darstellungskunst auf ihre eigene Weise und setzten sie in
symmetrische keltische Bilder um. Künstlerische Gestaltungen
sind das Produkt einer tiefen Überzeugung. An der Hofschule
Karls des Großen wurde der frührömische Stil bis gegen Ende
des 8. Jahrhunderts gepflegt. Die Darstellung eines segnenden
Christus von ca. 781, die einer Niederschrift des Evangeliums
durch den Schriftgelehrten Godescale entstammt, zeigt eine
Gestaltung irischen Stils. Dieser großäugige, dickwangige
Christus mit langem Haar und ohne Bart hat mit den
byzantinischen Darstellungen kaum noch etwas gemeinsam.
Die Bibeln, als Objekte der Ehrerbietung, erhielten mit
Edelsteinen besetzte Einbände, auf die handwerklich tätige
Mönche hingebungsvoll ihre Geschicklichkeit verwandten.
Edelsteine wurden auch für Reliquienschreine verwandt, die
unerläßlich waren, um heilige Überreste wie Teile des
Leichentuches, Splitter des Kreuzes und heilige Gebeine
sicher aufzubewahren. Heiligengruppen und Gestalten aus
den Erzählungen des Evangeliums wurden in den
Hofwerkstätten Karls des Großen aus Elfenbein geschnitzt.
Trotz ihrer geringen Größe war ihre Haltung von starker
Ausdruckskraft. Eine neue Schreibart, die Karolingische
Minuskel, wurde für die Niederlegung heiliger Schriften
eingeführt. Englische Buchilluminatoren von genialen
handwerklichen Fähigkeiten trugen ihre Erfahrungen in
europäische Klöster, wo schließlich so bedeutende Zentren
wie Echternach und Trier entstanden.

In allen ihren Schöpfungen, seien sie aus Pergament oder
Tuch, Elfenbein oder Gold, feierten die klösterlichen
Handwerker die Vereinigung des Menschen mit dem Erlöser.
Die Verzierungen von Altargemälden, Miniaturen,
Abendmahlskelchen, Chormänteln, Tabernakeln, Bechern
und Büchern waren Akte der Gottesverehrung, ausgedrückt
in einer Form, die wir als Kunst betrachten.

48

Der Gesichts- abdruck auf dem Tuch

Immer wieder erweist sich die Glaubenskraft als so stark, daß körperliche oder geistige Leiden durch sie geheilt werden, wodurch die von physikalischen Gesetzen regierte materielle Welt herausgefordert, manchmal auch verändert wird. Die im Evangelium geschilderten Wunder mögen bildliche Ausdrucksformen sein, ereigneten sich jedoch in erwiesenen historischen Zusammenhängen, die auch für unser heutiges Leben noch eine Bedeutung haben. Es war unvermeidbar, daß die Christen, anstatt ein Bild Christi aus ihrer Vorstellungskraft heraufzubeschwören, mit Eifer nach greifbaren Beweisen für sein fleischliches Erscheinungsbild suchen würden.

Die Legende vom Tuch der Hl. Veronika entspringt vermutlich diesem Streben. Sie ist die Geschichte des Mädchens Veronika, das sich in seinem Haus an der Straße nach G. aufhält, als sie das Johlen einer sich nähernden Menge hört. Sie eilt zum Fenster, sieht hinaus und entdeckt Christus, der unter der Last des Kreuzes strauchelt, umgeben von Soldaten und einer Schar von Menschen ihres Volkes. Einer plötzlichen Eingebung folgend nimmt sie den Schleier von ihrem Gesicht und läuft in dem Augenblick auf die Straße, als die Prozession an ihrem Haus vorüberzieht. Sie bahnt sich einen Weg zu dem zusammenbrechenden Christus und wischt ihm mit ihrem Schleier den Schweiß vom Gesicht. Voller Dankbarkeit sagt er ihr, daß seine Gesichtszüge für immer auf dem Tuch abgedrückt bleiben würden.

Diese Erzählung, obwohl sie in der Schrift nirgends erwähnt ist, fand Eingang in die Stationen des Leidensweges. Im alten Stadtteil von Jerusalem können Touristen die Stelle

Geheiligte Reliquien, die anscheinend einen Abdruck des Christusgesichts zeigen, gelten seit den Tagen des Königs Abgar von Edessa im 1. Jahrhundert nach Christus als glaubwürdige Dokumente. Zu diesen gehört das »Mandillion«, ein Abdruck von Christus menschlicher Gestalt, und das Schweißtuch der Hl. Veronika, mit dem er auf dem Weg nach Golgatha sein Gesicht getrocknet haben soll. Das Grabtuch von Turin, das bereits einmal zur Fälschung erklärt worden war, wurde in jüngerer Zeit wissenschaftlichen Tests unterzogen, um das Geheimnis dieses bewegenden Bildes zu enthüllen.

besichtigen, an der dieses Ereignis stattgefunden haben soll. Alle die zahlreichen Hinweise auf das Tuch selbst sind ungenau.

Heiligenreliquien, die einen Abdruck des Gesichtes Christi zeigen sollen, galten seit den Tagen des Königs Abgar von Edessa, der im 1. Jahrhundert n. Chr. regierte, als glaubwürdiges Manifest. Zu diesen gehören das Mandillion mit dem Abdruck Christi in menschlicher Gestalt, das Tuch der Veronika, mit dem sie auf dem Weg zur Kreuzigung den Schweiß von seinem Gesicht gewischt haben soll, und das Leichentuch von Turin, das bereits zur Fälschung erklärt war, kürzlich jedoch wissenschaftlichen Prüfungen unterzogen wurde, um das Geheimnis des darauf zu sehenden Abdrucks zu lüften.

Ein Veronikatuch wurde zeitweise im Petersdom in Rom aufbewahrt. Möglicherweise existierten mehrere Exemplare oder es wurden Nachahmungen angefertigt, die man an Festtagen in Prozessionen zur Schau trug. Es gibt keine zuverlässigen Reproduktionen jener zweifellos der Phantasie

Schöpfer der Hl. Veronika: *Die Hl. Veronika mit dem Schweißtuch*. Frühes 15. Jahrhundert. National Gallery, London.

entsprungenen Versionen, die nach den mündlichen Beschreibungen eines legendären Originals angefertigt wurden. Jüngere Berichte über ein heiliges Tuch wurden aufgezeichnet und decken sich teilweise mit der Legende der Veronika. Der jüngste darunter will wissen, daß Christus sein Leichentuch kurz nach seinem Wiedererscheinen in fleischlicher Gestalt einem Priestergehilfen übergab. Ein anderer erzählt, das Tuch, in das der Leichnam gehüllt wurde, sei in den Besitz der Frau des Pilatus gelangt, wonach es in die Hände des Hl. Lukas fiel, der es schließlich an einem sicheren Ort aufbewahrte. Ein Tuchstück, das als das Heilige Leichentuch von Compiègne bekannt wurde, führte zu einem jahrhundertelangen Pilgerstrom in die dortige Abtei. Ein weiteres wurde von Kreuzfahrern in Antiochien gefunden und als Heiligenreliquie nach Europa gebracht.

Keines dieser scheinbaren Indizien hat jedoch Helligkeit in das Dunkel um das Erscheinungsbild Christi gebracht. Einem Bildnis auf einem Tuch wird jedoch einige Glaubwürdigkeit zugesprochen, das aus den Anfangszeiten des Christentums im Osten stammt und sich im Besitz des Königs Abgar von Edessa im 1. Jahrhundert n. Chr. befunden haben soll. »Ein Abdruck von Gottes angenommener menschlicher Gestalt« heißt es in einem offiziellen Bericht von 945, »entstanden durch den wunderbaren Willen seines Schöpfers, ohne gezeichnet zu sein«. Es tauchte im 6. Jahrhundert wieder auf und wurde von diesem Zeitpunkt an als »Mandillion« bezeichnet, ein heute in Vergessenheit geratener Ausdruck, der einen lockeren Mantel oder eine ärmellose Soutane beschreibt. Das Ebenbild, das der Überlieferung zufolge auf dem Tuch zu sehen gewesen sein soll (es wurde wie das Tuch der Veronika benutzt, um das Gesicht Christi zu trocknen), trägt auffallend byzantinische Züge: eine symmetrische Konzeption eines ernsten, bärtigen Gesichtes, von langem Haar umrahmt. Es wurde durch die Jahrhunderte hindurch immer wieder kopiert und war in Rußland besonders angesehen, wo es erst durch die Revolution des Jahres 1917 endgültig verschwand.

Das am meisten gefeierte dieser geheiligten Tuchstücke, das Leichentuch von Turin, tauchte in jüngerer Zeit als mysteriösestes aller angeblichen Reliquien des Leidensweges wieder auf. Es handelt sich um ein drei Meter langes Leinenstück, das in der Kathedrale des Hl. Johannes des Täufers in Turin aufbewahrt wird und den schemenhaften Abdruck eines unbekleideten Mannes zeigt, der offensichtlich Opfer einer Kreuzigung war. Kopf und Körper scheinen von beiden Seiten Abdrücke auf dem Tuch hinterlassen zu haben, das in Längsrichtung zweimal um den Leichnam gewickelt wurde. Die Körperhaltung und die schemenhaft erkennbare Würde des Gesichtsabdrucks haben Generationen von Gläubigen versucht, dieses als das wahre Bildnis Christi anzuerkennen, das sich auf wunderbare Weise zum Zeitpunkt der Auferstehung auf dem Leichentuch abzeichnete.

Ungeachtet der Tatsache, daß es bereits als Fälschung abgetan wurde, ist das Heilige Grabtuch von Turin, wie es in Italien bezeichnet wird, seit 600 Jahren ein Gegenstand der Ehrerbietung. Es könnte wesentlich weiter zurückverfolgt werden, wenn wir jüngeren Behauptungen Glauben schenken, die besagen, daß es mit dem Mandillion, jenem heiligen Tuch der byzantinischen Welt, identisch ist, das im ersten Jahrhundert entdeckt wurde. Der volle Einfluß des Turiner Grabtuches wurde jedoch erst nach 1898 deutlich, als die Erlaubnis erteilt wurde, es an seinem Platz über dem Altar der Turiner Kathedrale zu photographieren. Die Aufnahme wurde unter großen Schwierigkeiten gemacht. Doch das Negativ, eine Glasplatte, erwies sich als Offenbarung. Die blassen, schattenhaften Umrisse, die vergangene Generationen mit Ehrfurcht erfüllt hatten, traten jetzt als deutlich erkennbare Züge eines Mannes hervor, dessen Körper geschunden und blutig und dessen Gesicht durch Schläge angeschwollen war. Die Augen, die auf dem Leichentuch geöffnet schienen, zeigten sich jetzt geschlossen.

Ein Anatomieprofessor an der Sorbonne, der die Wunden auf dem Körper untersuchte, erklärte, daß eine Übereinstimmung mit den berichteten Leiden Christi bestehen könnte. Unter dem Hinweis, daß kein Fälscher früherer Zeiten ein Bildnis als Negativ hätte darstellen wollen oder dazu in der Lage gewesen wäre, verwarf er die Möglichkeit einer Fälschung. In jüngerer Zeit wurde durch Tests und Analysen nachgewiesen, daß der Austritt von Blut aus den Wunden, wie er sich in photographischen Details darstellt, anatomisch von einem Laien nicht hätte rekonstruiert werden können. Außerdem wurde die Wunde in der Seite anatomisch an einer Stelle und mit einem Speertyp zugefügt, die mit den grausamen römischen Kreuzigungspraktiken in Übereinstimmung stehen.

Weitere Hinweise ergeben sich daraus, daß das Opfer anscheinend nicht an den Händen, – wie in Darstellungen der Kreuzigung – sondern an den Handgelenken festgenagelt wurde, was wesentlich wahrscheinlicher ist. Eine Untersuchung der kleinen Wunde auf beiden Seiten des Körpers weist auf Auspeitschungen mit einer langen Peitsche hin, die am Ende jedes Riemens mit zwei kleinen Kugeln versehen war: der römischen *Flagra*. Es scheint, als sei das Opfer durch zwei solcher Peitschen – je einer von jeder Seite – von hinten mißhandelt worden. Eine medizinische Auffassung geht dahin, daß die Wucht der Peitschenhiebe und die schweren Wunden an den Knien, die von Stürzen herzurühren scheinen, den Tod in der Kreuzigungsposition beschleunigt haben könnten. Entgegen den römischen Gepflogenheiten waren die Knie nicht gebrochen.

Im Jahre 1903, lange bevor die moderne Wissenschaft und Technik begann, das Geheimnis zu lüften, wurde das »Urteil der Geschichte« von einem Mann namens Herbert Thirston vorausgeahnt. In einem Magazin mit dem Namen *The Month* schrieb er: »Was die Identität des Körpers angeht, dessen Abdruck wir auf dem Leichentuch sehen, können keine Zweifel bestehen. Die fünf Wunden, die grausame Auspeitschung, die Male rund um den Kopf sind noch deutlich zu erkennen... Wenn es sich nicht um den Abdruck Christi handelt, so wurde das Tuch als Bildnis desselben geschaffen. Denn bei keinem anderen Menschen seit Beginn der Welt wären diese Merkmale anzutreffen.«

Viele schenken den Auffassungen von Spezialisten und Gelehrten wenig Aufmerksamkeit. Als das Tuch im Jahre 1973 im italienischen Fernsehen gezeigt wurde, sprach Papst Paul in persönlicher Erinnerung an seine erste Begegnung mit dem Grabtuch, als er noch ein junger Mann war, von etwas »so Wahrem, so Menschlichem, so Ergreifendem und so Göttlichem, wie wir es noch in keinem anderen Bildnis angetroffen und bewundert haben.« Die von diesem Bild ausgehende Kraft und Menschlichkeit wird von den meisten Menschen erkannt, die Göttlichkeit hingegen seltener. In solchen Fällen steht unser rationales Denken in einem Widerspruch zu dem tief empfundenen Wunsch, das Unglaubliche zu glauben. Die »Wahrheit«, die uns in dem Gesicht auf dem Turiner Leichentuch entgegentritt, erweckt jedoch einen weiteren Aspekt: die Frage der Anerkennung. Das Gesicht wird anerkannt, weil die Menschen daran glauben können. Dieses Gesicht scheint der kollektiven Vorstellung vom Aussehen Christi zu entsprechen oder vielmehr davon, wie ein Mann von solch transzendenter Erhabenheit und Göttlichkeit aussehen **müßte.**

Eines der Argumente für eine Anerkennung des Turiner Leichentuches ist die Ähnlichkeit des Gesichtes mit bestimmten frühen Darstellungen von Christus. Ian Wilson, in dessen Buch über das Leichentuch die neuesten Forschungsergebnisse auf diesem Gebiet zusammengefaßt sind, stellt eine Ähnlichkeit mit dem *Rex Regum* von Jan van Eyck nach einer aus dem 5. Jahrhundert datierenden Quelle fest. Das Original existiert nicht mehr, ist uns jedoch aus modernen Nachahmungen bekannt. Es zeigt die gleiche Vorderansicht wie das Gesicht auf dem Tuch, das lange, in der Mitte gescheitelte, bis auf die Schultern fallende Haar, einen geteilten Bart, eine hervorspringende Nase, einen Schnurrbart, der in den Bart übergeht und die kleine bartlose Lücke unterhalb der Unterlippe. Die byzantinische Quelle beruht vermutlich wiederum auf ständigen Nachahmungen eines Standardoriginals. Zu den angeführten Beispielen gehören Studien von Christus dem Schöpfer in der Katakombe des St. Pontanius in Rom aus dem 8. Jahrhundert oder das Mosaik des thronenden Christus in der Kirche San

Albrecht Dürer: *Schweißtuch von zwei Engeln gehalten* (Ausschnitt). Stich. 1513. British Museum London.

Das *Turiner Leichentuch* (Ausschnitt). Kathedrale von Turin. Italien.

Apollinare Nuovo in Ravenna im 6. Jahrhundert. Die Hypothese lautet, daß irgendwann im 6. Jahrhundert eine unabänderliche oder offizielle Version einer Christusdarstellung entstand, die ihn mit langem, in der Mitte gescheiteltem Haar, geteiltem Bart, semitischer Nase und tiefliegenden Augen mit großen Pupillen zeigte. Diejenigen, die an das Heilige Leichentuch glauben, mögen darin eine Bestätigung finden, daß das offizielle Gesicht Christi, wie es die Welt heute sieht, durch dieses geheimnisvolle Bildnis entstanden ist.

Das Wort und die Schrift

Bereits im 2. Jahrhundert wurde die christliche Botschaft als geschriebenes Wort verbreitet, entweder in der traditionellen Schriftrolle oder in Form eines Kodex, dem Vorläufer des modernen Buches. Der Kodex in seiner Eigenschaft als flacher Bogen versetzte die Künstler in die Lage, die Werke von Mosaik– und Freskenmalern abzubilden oder beliebte Geschichten und Dramen der Antike bildlich darzustellen. Neben den Werken Homers wurde die Bibel zu einer der beliebtesten literarischen Schriften, denn ihre Illustrationen gaben bereits eine Vorahnung auf die kunstvollen Werke der Buchilluminatoren des Mittelalters. Verzierte Ausgaben des Evangeliums, die auf den Chorpulten an den Stätten der Gottesverehrung auflagen, stellten Episoden aus den bekanntesten Geschichten dar, wozu man sich der klassischen, syrischen und ägyptischen Traditionen der literarischen Illustration bediente. Die oft noch etwas unbeholfenen handwerklichen Methoden schufen jedoch nicht selten Werke von großer Ausdruckskraft. In der Ausgabe des Evangeliums von Rossano zeigen die Begleiter Christi in der Szene, als sich die in ein Leichentuch gehüllte Gestalt des Lazarus geisterhaft aus dem Grab erhebt, eine überzeugend dargestellte

Die Verbreitung illustrierter Manuskripte und die bebilderten Werke klösterlicher Schreiber führten in so weit voneinander entfernten Ländern wie Irland und Spanien zur Entstehung literarischer und manchmal auch höchst unkonventioneller Christusbilder.

Christus und der Hl. Dunstan (Ausschnitt). Aus einer mittelalterlichen Zeichnung. Ca. 950. Bodleian Library, Oxford.

Der majestätische Christus (Ausschnitt). Aus der Stavelot-Bibel. British Library, London.

52

Die Erweckung des Lazarus (Ausschnitt). Aus den *Rossano-Evangelien.* Duomo di Rossano, Kalabrien.

Ehrfurcht und Bewunderung. Christus erscheint langhaarig, bärtig, sein Haupt von einem goldenen Strahlenkranz umrahmt. Ebenso ist er bei seiner Verurteilung vor Pilatus dargestellt sowie in der Personifizierung des barmherzigen Samariters im Evangelium des Lukas. In einer Darstellung der *Himmelfahrt* in der Evangeliumsausgabe von Rubbula erscheint er halb lächelnd, mit dunklem Bart, während er auf den Flügeln einer Engelschaar zum Himmel emporgetragen wird. Jedes dieser Evangeliumsbildnisse zeigt Christus unter dem Aspekt des religiösen Dramas als den beherrschenden Schauspieler, als die Zwei in Einem nach dem kanonischen Gesetz.

In den folgenden Jahrhunderten kam es zu einer neuen Blüte von Kultur und Wissenschaft, die die christliche Kunst nicht ausließ. Unter dem Einfluß Karls des Großen wurde dem Gelehrtentum in Kirche und Staat eine große Bedeutung zugemessen. Die Höfe wurden zu Zentren der Schreibkunst, die auf einem neuen Schrifttyp, der Karolingischen Minuskel beruhte, der sich allmählich in den Hoheitsgebieten des Kaisers verbreitete. Die Schreibkunst entwickelte sich zu der fortgeschrittenen Kunstform, der die Kunst der Illustration auf dem Fuß folgte. Das Evangelienbuch von Godescale wurde von Karl dem Großen in Auftrag gegeben und zwischen 781 und 783 von einem Schriftgelehrten des Hofes ausgeführt. Es enthält einige bemerkenswerte Gestalten und gehört zu den Meisterwerken der Kunst im 8. Jahrhundert. Das möglicherweise bekannteste Blatt ist der *Thronende und segnende Christus*, auf dem er als jugendlich frischer Heiland dargestellt ist, dessen übergroße Augen – nach Art der Mosaiken von Ravenna – allzu durchdringend schauen. Der Hintergrund, mit ungewöhnlicher Kunstfertigkeit ausgeführt, deutet eine schematisierte Landschaft zu Füßen und über dem Haupt der Gestalt an.

Die Vivianische Bibel (auch als erste Bibel Karls des Kahlen bekannt) erscheint 60 Jahre später und enthält einen *Majestätischen Christus*, der hier noch erhabener dargestellt

Der Einzug nach Jerusalem (Ausschnitt). Aus dem Psalmbuch des Hl. Albans. 12. Jahrhundert. Hildesheimer Domschatz.

Ausschnitt aus einem Retabel der Kathedrale von Norwich, England. Ca. 1380 – 90.

Der Garten von Getsemane (Ausschnitt). Aus dem *Ingeborg-Psalmbuch*. Musée Condé, Chantilly.

ist, indem er Erde, Firmament und Himmel zu einem harmonischen Werk fügt. Das Gesicht dieses Christus verrät einen Ausdruck weltlicher Besorgnis.

Den gleichen Ausdruck, obwohl in einem gänzlich anders dargestellten Gesicht, sehen wir in dem *Majestätischen Christus* aus dem Fragment des Metzer Sakramentariums. Christus wird ohne deutlich erkennbare göttliche Züge dargestellt. Das kräftige, unbärtige Gesicht ist das eines sterblichen Helden, erfüllt mit jugendlichem Geist. Ein Bild der Kreuzigung aus dem gleichen Dokument hinterläßt einen ähnlichen, unauslöschlichen Eindruck. Das Kreuz wird zu einem kunstvoll gestalteten Symbol, von dem Christus mit triumphierender Gefaßtheit herunterschaut, stellvertretend für den Sieg über den Tod.

Die ersten Christen Nordeuropas, die als Künstler eingestuft werden können, waren die irischen Mönche. Für ihre Gelehrtheit bekannt, taten sie sich auch in der Kunst des Abschreibens von Texten und Büchern hervor. Im 8. Jahrhundert begannen sie, ihre Übertragungen von Evangeliumsgeschichten mit Verzierungen zu verschönern, wobei die verwendeten Stile mit ihren abstrakten und geometrischen Elementen äußerst wirkungsvoll waren. Da sie auf keine einheimische Tradition des Zeichnens menschlicher Gestalten zurückgreifen konnten, nahmen sie Zuflucht zu stilisierten Darstellungen, die mit der nachhellenischen Bildniskunst des Südens nichts gemeinsam hatten. Die Gestalt Christi wurde in der gleichen Weise behandelt, sodaß seine absichtlich abstrahierten Züge kaum von den Gesichtern der Heiligen und Märtyrer zu unterscheiden waren. Dieses Meisterwerk der Textillustration, *The Book of Kells*, enthält ein Monogramm von Christus, in dem in dichtgefügten Elementen winzige Köpfe und Figuren mit dem gleichen

genialen Einfallsreichtum verwendet werden wie Blumen und
Ranken, die ebenfalls Bestandteile des Entwurfs sind. Hier
entstand in gewisser Weise ein Bildnis Christi: abstrakt,
üppig, voller Imagination. Kunst dieser Art wies einen neuen
Weg. Sie hatte keinen Bezug zur mediterranen Tradition, war
unabhängig von den Kräften, die der frühen christlichen
Kunst Gestalt und Richtung verlieh. Außerdem kennzeichnet
sie den Beginn jenes linearen Stils, der seither ein
Charakteristikum der britischen Kunst ist.

Die Fertigkeit der englischen Textillustratoren entwickelte
sich während des 10. bis 12. Jahrhunderts zu einer
hochgeschätzten Kunst, die eine im Verfall begriffene
lateinische Tradition mit einer Lebendigkeit erfüllte, die die
religiöse Kunst in ganz Westeuropa beeinflußt hat. Die
»Illumination« von Texten, so bezeichnet, weil der Text durch
die Verwendung von Farben und Gold aufgehellt wurde, kam
zustande, indem man Farbe in dünner Schicht auftrug, über
der sich weiße oder dunklere Töne befanden, wodurch eine
plastische Wirkung entstand. Szenen aus dem Leben Christi
wurden eher in erzählender als in didaktischer Form
dargestellt, wobei in Gruppendarstellungen und Einzelfiguren
die konventionelle Illustrationskunst oft mit erstaunlicher
Wirkung außer acht gelassen wurde. Eine Darstellung von
Christus, dem Schöpfer der Sterne, aus einem Bestiarium der
Bodleian Library in Oxford aus dem 12. Jahrhundert verrät in
Gesicht und Gestalt elegante, asketische Züge, die durch
vertikale, rosafarbene Streifen vor goldenem Hintergrund
noch betont werden. Verglichen mit einem Psalmenbuch
gleichen Entstehungsdatums, in dem das *Letzte Abendmahl*
und *Christus bei der Waschung der Füße des Hl. Petrus*
abgebildet sind (ebenfalls aus der Bodleian Library), äußert
sich hier ein fast manieristisches Stilempfinden.

Zur gleichen Zeit, als dieser Ausbruch der englischen
Schaffenskraft stattfand, entwickelte die deutsche Kunst einen
unverkennbaren Stil. Es war das Zeitalter, das Zeugnis

abgelegt von den Gründungen gewaltiger Kathedralen wie derjenigen von Speyer, Mainz und Bamberg, während gleichzeitig wohlhabende Klöster entstanden, die sich zu Zentren der christlichen Kunst entwickelten, die in Bronzeskulpturen, Freskenmalereien und vollendeten Goldarbeiten ihren Niederschlag fand. In Deutschland bestand bereits eine Tradition karolingischer Kunst, die sich in typischer Weise in den Mainzer Elfenbeinschnitzereien zeigte und leicht schwerfällig und streng wirkte. Eine Elfenbeintafel, die vermutlich von der Bodenseeinsel Reichenau stammt und sich heute im Britischen Museum befindet, zeigt Christus, als er den Sohn der Witwe zum Leben erweckt; auch hier sehen wir die beherrschende, stilisierte Schwerfälligkeit, die ein Attribut der deutschen ottomanischen Kunst ist. Dieser Christus wirkt fremd: eine ältliche Erscheinung, eher gewichtig als göttlich.

Hier sehen wir das Gegenstück, oder auch die Ergänzung, zu der ausdruckstärkeren Seite der deutschen Kunstfertigkeit, die wir in den Textil-Illustrationen der Reichenauer Schule kennengelernt haben. Sie stellen die vertrauten biblischen Erzählungen mit unvoreingenommener Vorstellungskraft und einem Blick für Einzelbegebenheiten dar: die Erzählungen über die Kindheit Christi, die Wunder und der Leidensweg werden von zahllosen Randgeschehnissen neben der eigentlichen Haupthandlung begleitet. Die Gesten und Haltungen dieser Figuren, sprühend vor Lebendigkeit, zeigen eine größer Ähnlichkeit zu asiatischen als zu noch näheren Quellen.

Am bemerkenswertesten erscheint die frühchristliche Kunst Spaniens, an der sowohl karolingische als auch byzantinische Einflüsse vorübergegangen sind. Ihre Ursprünge liegen in der Klassik, obwohl sie dem Betrachter überraschend modern erscheinen mag. Sie war antiklassischen Einflüssen ausgesetzt, wie z. B. denjenigen der koptischen Kunst, die im 6. Jahrhundert allmählich von Nordafrika nach Spanien vordrang, gefolgt von barbarischeren Ausdrucksformen, die sich von Frankreich nach Süden ausdehnten. Im 8. Jahrhundert erfolgte die große islamische Expansion, die einen bleibenden Einfluß auf Spanien und seine Kultur ausübte. Doch ist es gerade dieses arabische Element, das der spanischen Kunst ihre Einmaligkeit und Kraft verleiht. In ihrer typischsten Form erscheint sie in flächig aufgetragenen klaren Farben, mit ein-dimensionaler Wirkung, reich verziert, während sich die blendenden Wirkungen der Formen und Farben gegenseitig zu übertreffen scheinen.

In Frankreich wurde die karolingische Kunst unter dem Druck barbarischer Einflüsse ins Leben gerufen. Unter der Vielzahl lokaler und regionaler Kräfte, die freigesetzt worden waren, tat sich der Stil hervor, der später als Romanik bezeichnet wurde. Steinmetze und Bildhauer bedienten sich ungehemmt heidnischer, gallischer, islamischer, klassischer und orientalischer Stilmittel, um ganze Bestiarien und phantasievolle Gruppen lebensvoller Gestalten als Schmuck von Kirchen und Klöstern zu schaffen. Diese Stilrichtung verwuchs so stark mit Zentren wie Cluny, Moissac und der Provence, daß mancher Kirchenmann befürchtete, sie könne in ihrem hektischen Überschwang den eigentlichen Zweck der Kirche in Vergessenheit geraten lassen. »Wozu sind sie gut, diese schmutzigen Affen, wütenden Löwen, monsterhaften Zentauren, Halbmenschen, Tiger, kämpfenden Ritter, diese vielköpfigen Körper und vielleibigen Köpfe, Tiere mit Schlangenkörpern und Fische mit Tierköpfen?« schrieb der Hl. Bernhard von Clairvaux in einem Brief an den Abt von Thierry, in dem er sich über die Skulpturen in den Klöstern beklagte: ein Mann konnte sich den ganzen Tag lang im Bewundern dieser Objekte ergehen, anstatt seinen Geist auf die Erfüllung der Gebote Gottes zu richten, war seine Meinung.

Christus, Schöpfer der Sterne. Aus einer Handschrift des 12. Jahrhunderts. Bodleian Library, Oxford.

Christus wäscht die Füße des Hl. Petrus und *Das letzte Abendmahl.* Aus einer Handschrift des 12. Jahrhunderts. Bodleian Library, Oxford.

Dieser Protest gegen sich wandelnde Ausdrucksformen war eine Reaktion auf eine Sache, die zur Kunstrichtung eines Zeitalters geworden war. Werke wie diejenigen, gegen die hier protestiert wurde, existierten damals in ganz Europa. Sie stehen auf halbem Weg zwischen der antiken und der modernen Kunst, ebenso wie der Feudalismus zwischen der antiken und modernen Gesellschaft steht. Kunst um ihrer selbst willen, imaginative Darstellungen und die Freiheit des Geistes fanden ihren Weg in Kirchen, deren Mauern von farbenprächtigen, leuchtenden Fenstern durchbrochen waren. Das Innere dieser Stätten erstrahlte zunehmend in Ornamenten, Prunk, Gewändern und Gemälden. Das Bestreben der Kirche war ein irdisches Jerusalem, in das der einfache Mensch eintreten und sich erfreuen konnte.

Der heutige Besucher betrachtet große religiöse Monumente mit einem anderen Auge, für ihn sind sie lediglich Schatzhäuser. Wir haben uns auf Kosten einer ästhetischen Ansprechbarkeit eine größere Objektivität erworben. Wir nähern uns der Auffassung von Thomas von Aquina, daß die Schönheit in der Kunst eher eine Frage der Vollständigkeit, Proportion und Farbe als der Auseinandersetzung mit Idealen ist. Trotzdem kann ein moderner Pilger durchaus noch die Kraft einer Kunst bewundern, die nach dem Idealen strebte, obwohl sie dabei unvermeidbar zum Scheitern verurteilt war. In dem Tympanon von Moissac thront Christus über seiner Gemeinde wie ein östlicher Mogul, an seiner Seite die 24 Ältesten, die alle den Blick auf ihn gerichtet haben, und gestützt von Jeremias und dem Hl. Petrus in geschmeidiger, balletthafter Haltung. Sogar die Steine scheinen ungeachtet ihrer Schwere zu tanzen und zu schweben. In dem benachbarten *Departement Lot* sehen wir in Souillac den Propheten Isaias,

Segnender Christus. (Ausschnitt).
Bestandteil der Apsenfresken von
San Clemente, Tahull.
12. Jahrhundert. Museum der
katalanischen Kunst, Barcelona.

der sich dem ihn umgebenden Mauerwerk zu entwinden
scheint, mit gekreuzten Beinen und wehender Robe und dem
Ausdruck eines Besessenen.

Oft ist Christus in diesen Gruppendarstellungen nicht
vertreten. Die Bildhauer haben ihm eine erhabene Position
zugedacht, erhöht in der Verehrung seiner himmlischen
Macht. Wir sehen ihn thronend in dem Tympanon von
Vezelay, gebieterhaft und ernst, inmitten einer Menge von
Gläubigen. Als Wächter des Jüngsten Gerichts erscheint er
über dem Eingangsportal von Autun. Eine meisterhafte
Kreuzabnahme in der Kathedrale von Parma zeigt das Kreuz
in Form eines Baumstammes – eine vollendete Wandtafel, wie
man sie oft weiter südlich antrifft, ausgeführt von dem
lombardischen Handwerker und Baumeister Benedetto
Antelami. In Angoulême steigt er auf der Westfront zu einer
Wolkenbank empor, den Blick gesenkt, die Arme segnend
ausgestreckt. Während in der Romanik einzelne Kunstwerke
aus ihrer Umgebung herausgelöst und bewundert werden
können, hat die Gotik einen umfassenderen Anspruch. In den
gotischen Meisterwerken Nordfrankreichs ist die Architektur
aktiver Glaube, in dessen Dienst die Fertigkeit von Männern
gestellt wurde, die sich von der vertrauenseinflößenden Größe
einer Kirche inspirieren ließen, die in Verbindung zur
Ewigkeit zu stehen schien.

Ein Körper wie der Anblick des Himmels

Gotische Kathedralen glühten vor roten, goldenen, blauen und gelben Tönen, die Statuen erstrahlten in farbenprächtigen Gewändern. In Stein gehauene Figuren schienen Gestalten eines Dramas zu sein, die mit außerirdischen Kräften ausgestattet waren. Herimann von Tournay spricht in seiner Beschreibung des Heiligenschreines von St. Piat von den Gestalten der klugen und törichten Jungfrauen, die anscheinend »weinen und lebendig« sind und Tränen wie aus Wasser oder Blut vergießen. Dante beschreibt eine Darstellung der Hl. Jungfrau mit einem anbetenden Engel, in »anmutiger Haltung« modelliert. Der Engel »schien kein stummes Bildnis zu sein: man war davon überzeugt, daß er

Im Zeitalter der gotischen Kathedralen, die in bunten Farben erstrahlten, nahm Christus seinen Platz unter sterblichen Männern und Frauen ein, die von himmlischer Gnade erleuchtet waren. Die Skulpturen galten als Charaktere eines Dramas, denen überirdische Kräfte zugemessen wurden. Angesichts dieser Gesellschaft nimmt das Gesicht Christi einen Ausdruck ernster Freude an.

Die Erweckung des Lazarus (Ausschnitt). Relief. Angelsächsisch ca. 1000 oder normannisch ca. 1130. Südschiff des Chorraums, Kathedrale von Chichester, England.

Le Beau Dieu. Steinmetzarbeit. Ca. 1225. Portal des Erlösers, Kathedrale von Amiens, Frankreich.

gerade das Wort *Ave* sprach«. Der Dichter bezeichnet den Sinn einer Skulptur, der jedem Besucher einer mittelalterlichen Stätte der Gottesverehrung in dieser Zeit vertraut war, als »sichtbare Sprache«.

In Chartres befinden sich über dem Dreierportal mehr als 700 Steinfiguren. Christus befindet sich in der Mitte des Giebelfeldes, umgeben von Symbolen der Evangelisten, die Apostel zu seinen Füßen. Der Giebelbogen wird von den 24 Ältesten gesäumt. Das Giebelfeld des rechten Portals zeigt die Verherrlichung der Hl. Jungfrau. Die Figuren auf dem Bogen stellen die sieben freien Künste dar. Die Himmelfahrt ziert den Platz über dem Nordportal, während den Säulen 24 Figuren vorgesetzt sind, von denen es heißt, sie seien die Ahnen der Hl. Jungfrau. Auf einigen von ihnen sind noch Farbspuren zu erkennen – Zeugnisse ihrer glanzvollen Vergangenheit. Ein Parisbesucher zur Zeit Karls VIII. stellte fest, daß die Westfront von Notre Dame mit Gold verziert und in bunten Farben bemalt war, während auch alle Skulpturen Verzierungen zeigten. Diese Beschreibung kann nur auf Einbildungen beruhen. Wenn der heutige Betrachter seinen Blick an den schauerlich schönen Fassaden emporgleiten läßt, wird sein Auge von nichts geblendet, wenn auch dieses herrliche Bauwerk einen unauslöschlichen Eindruck hinterläßt.

In architektonischer Hinsicht gelang es den gotischen Kathedralenbaumeistern, eine zuvor unbekannte Raumwirkung zu schaffen. Pfeiler und Säulen erhoben sich wie anmutige Bäume, deren Zweige in luftiger Höhe ein Dach zu bilden schienen. Schwere Mauern zerfließen in Maßwerken und weite Räume in Schattenspielen. All dies deutet auf einen Schöpfer mit mathematischem Geist hin. So ist es nicht verwunderlich, daß Gott in gotischen Kathedralen oft mit einem Kompaß oder Zirkel in der Hand anzutreffen ist. In Chartres gesellen sich zu den Bildnissen von Heiligen und anderer himmlischer Gestalten Aristoteles und Pythagoras. Man würde gern glauben, daß das Gesicht Christi angesichts dieser Gesellschaft eine ernste Freude ausdrückt. Kenneth Clark bemerkt, unter dem Bogen des mittleren Portals stehend, daß diese Figuren das Heraufdämmern einer neuen Zeit im Denken des westlichen Menschen kennzeichnen. »Die Verfeinerung, der Eindruck selbstloser Entrückung und die Geistigkeit dieser Köpfe ist in der Kunst

Lehrender Christus. Steinmetzarbeit. Ca. 1200. Mitteltür des Südportals der Kathedrale von Chartres, Frankreich.

Christus empfängt die Seele seiner Mutter (Ausschnitt). 1250 – 60. Südportal der Kathedrale von Straßburg, Frankreich.

etwas völlig Neues. Neben ihnen erscheinen die Götter und Helden der alten Griechen arrogant, seelenlos und sogar etwas roh«.

Schließlich handelte es sich hier jedoch letztlich um das Zeitalter, in dem das Gelehrtentum blühte, Universitäten in ganz Europa gegründet wurden und die Christenheit das Ideal der Nächstenliebe hegte. Es nährte gleichermaßen ein erhöhtes Gefühl für Schuld, was dazu führte, daß die Künstler ihren Christusdarstellungen einen stärkeren Leidensausdruck verliehen. Philosophen sannen über das Wesen der Wirklichkeit, wobei die Wirklichkeit des Menschen und der Kirche nicht ausgelassen wurden. Existierte Gott? Diese Frage stellte man sich sogar zu der Zeit, als man die Kathedralendächer Stein um Stein dem Himmel näher brachte. Da waren die großen Denker der alten Griechen, deren Werke jetzt in übersetzten Texten vorlagen, um den Glauben des Menschen durch wissenschaftliche und metaphysische Erkenntnisse herauszufordern. Diese wurden nicht unbedingt als ketzerische Lehren abgetan, sondern fanden Eingang in die traditionellen, jetzt intellektualisierten Glaubensgrundsätze. Einige Aspekte der Heiligen Schrift, die schwer mit der orthodoxen Lehre des Wortes vereinbart gewesen waren, wurden überprüft. Bernard von Clairvaux, der Richelieu seiner Zeit, hielt eine Predigt über *Das Lied der Lieder,* in der er der Sinnenfreude des Dichters Rechnung trug, indem er den König und seine Geliebte mit Gott und der Seele verglich. In einer Zeile stellte er eine Analogie zum Heiligen Geist her: Christus als der »wahre Liebhaber«, wie Abélard ihn in einem Brief an Héloise nannte.

Ein solches Bild konnte nicht in Farbe oder Stein übersetzt werden. Wenn jedoch die Gestalt Christi leidenschaftliche Gefühle hervorrief, mußte es gestattet sein, seine künstlerischen Darstellungen mit einem Hauch züchtiger Sinnenfreude auszustatten. Vom Mittelalter bis zur Renaissance ist der Körper Christi ein Gegenstand der Ehrerbietung, dessen Nacktheit Gefühle der Liebe und des Mitleids hervorruft. Als Inkarnation der christlichen Botschaft, wird er – ergreifend und anbetungswürdig – von den Armen schmerzerfüllter Frauen gleichzeitig als Liebhaber und Körper empfangen. In Giottos Freskenbild der *Wehklage* in der Arenakapelle von Padua wird sein Haupt, unversehrt von Schmerz, von der trauernden Maria geliebkost, die mit hoffnungsloser Sehnsucht in sein Gesicht schaut.

Die Verehrung des Körpers Christi hatte im Mittelalter ihren Höhepunkt erreicht. Die Verschmelzung von Schmerz und körperlicher Schönheit inspirierte Bildhauer, Schriftgelehrte und Männer der Kirche zu Ausdrucksformen der Liebe und des Mitleids. Der Hl. Franz von Assisi, empfing der Legende zufolge auf seinem Sterbebett die Wundmale Christi und starb mit einem Psalm auf den Lippen.

Die Verehrung des Körpers Christi fand im Mittelalter ihren stärksten Ausdruck. Die Verbindung von Schmerz und körperlicher Schönheit inspirierte Bildhauer, Holzschnitzer, Schriftgelehrte und Männer der Kirche zu Äußerungen der Liebe und des Mitleids. Franz von Assisi empfing der Legende zufolge Stigmata an seinem eigenen Leib, als er sich auf das Sterbebett legte, und starb mit einem Psalm auf den Lippen.

Angesichts der klösterlichen Gradlinigkeit des christlichen Glaubens, der von strengen Auffassungen der körperlichen Züchtigkeit gekennzeichnet war, half die Liebe zum Körper

Elfenbeinkruzifix, 1063. Spanischer Herkunft. Museo Arqueológico, Madrid.

*Das Altargemälde von Pähl.
Ca. 1400. Bayerische
Staatsgemäldesammlungen,
München.*

Christi sexuelle Schuld zu sublimieren. In jüngerer Zeit wurde der mißhandelte Körper in der Literatur als sadomasochistisches Bild interpretiert, das die Darstellung des nackten männlichen Körpers in der westlichen Kunst maßgeblich beeinflußte. Es trifft zu, daß einige Künstler sich mit manchmal erschreckender Hingabe der Demütigung und schändlichen Behandlung des Fleisches gewidmet haben. Ebenso hat sich auch das Märtyrertum der Heiligen angeboten, äußerste Grausamkeit in Verbindung mit dem nackten männlichen Körper darzustellen. Die mittelalterliche Haltung gegenüber dem Leiden Christi hat jedoch noch eine andere Seite. Die Betrachtung des geschundenen Körpers konnte echte und aufrichtige Gefühle lyrischer Verzückung hervorrufen. So beschreibt ein englischer Eremit, Richard Rolle, aus dem 14. Jahrhundert den mißhandelten und blutenden Christus: »Dann war sein Körper wie der Anblick des Himmels; denn der Himmel ist voller Sterne wie sein Körper voller Wunden war. Deine Wunden, Herr, sollen jedoch besser als Sterne sein, denn Sterne leuchten nur bei Nacht und Deine Wunden sind bei Tag und Nacht voller Tugend. Die Sterne in der Nacht leuchten nur schwach und eine einzige Wolke kann alle verbergen; aber eine einzige Deiner Wunden, süßer Jesus, war und ist genug, um die Wolken aller sündigen Menschen zu vertreiben... Ich bitte Dich, laß diese Wunden meine Gedanken Tag und Nacht

Kreuzigung. Aus dem *Psalmbuch von Evesham.* Mitte des 13. Jahrhunderts. British Library, London.

Giotto: *Kreuzigung.* (Ausschnitt). Ca. 1300. Sta. Maria Novella, Florenz.

65

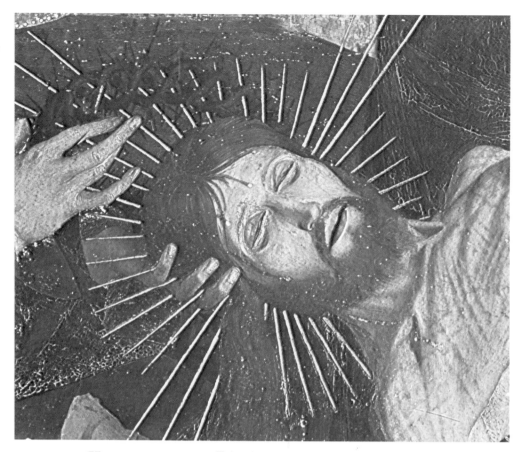

Schule von Avignon: Pietà
(Ausschnitt). Teil einer
Altarschranke. Ca. 1460. Louvre,
Paris.

Schule von Avignon: Pietà von
Villeneuve-les-Avignon. Teil
einer Altarschranke. Ca. 1460.
Louvre, Paris.

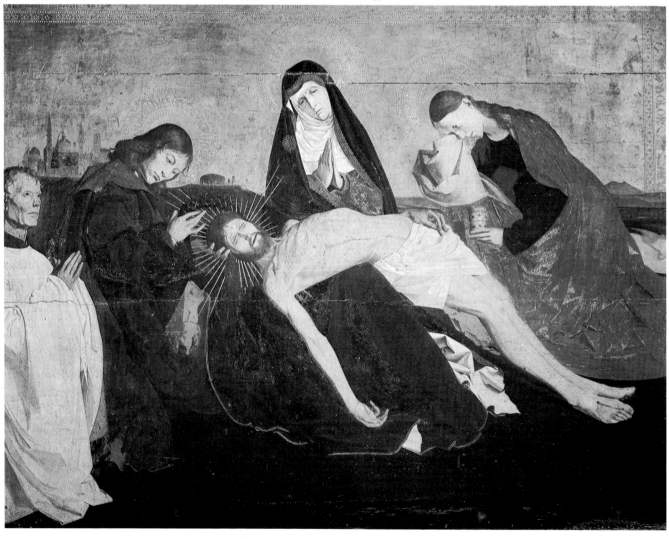

Pontormo: *Kreuzabnahme*
(Ausschnitt). Frühes
16. Jahrhundert.S. Felicita,
Florenz.

Luis de Morales: *Mater Dolorosa*
(Ausschnitt). Spätes
16.Jahrhundert. Real Academia
de San Fernando, Madrid.

Donatello: *Der tote Christus von Engeln umgeben* (Ausschnitt). Marmor. Ca. 1430 – 40. Viktoria-und-Albert-Museum, London.

Rueland Fruehauf der Ältere: *Der Gepeinigte* (Ausschnitt). Alte Pinakothek, München.

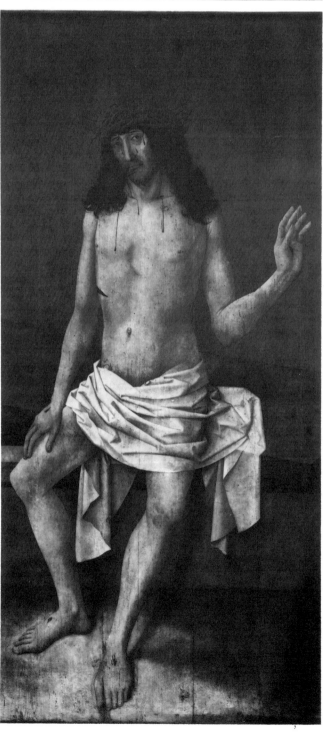

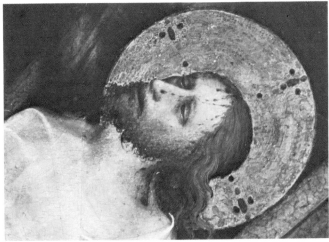

Rogier van der Weyden: *Das Begräbnis* (Ausschnitt). Ca. 1435. Prado, Madrid.

Piero della Francesca: *Die Auferstehung* (Ausschnitt). 15. Jahrhundert. San Sepolcro, Italien.

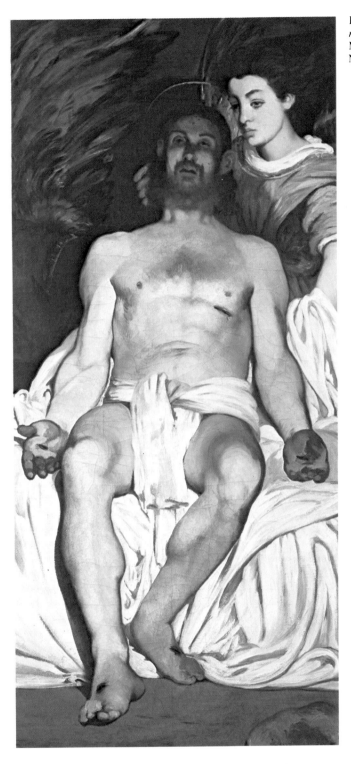

leiten; denn in Deinen Wunden finde ich Heil für jedes Bedürfnis meiner Seele... Süßer Jesus, Dein Körper ist wie ein Buch, das mit roter Tinte geschrieben wurde; ebenso wie Dein Körper mit roten Wunden beschrieben ist.«

Die Anbetung des Körpers Christi wurde Bestandteil der christlichen Liturgie, als Thomas von Aquin das Fronleichnamsfest einführte. Die zu diesem Anlaß komponierten Hymnen sowie andere von Bernard von Clairvaux sind Lobgesänge der Liebe, nicht minder beredt wie die romantische Literatur dieser Zeit. Franz von Assisi schrieb das erste aufgezeichnete Gedicht in italienischer Sprache, den *Lobgesang der Sonne,* indem er »der Kraft und

Gegenkraft der Freude im Heil und des Schmerzes beim Gedanken an das Leiden Christi« Ausdruck verleiht, wie ein Kritiker schreibt. Im *Spiegel der Vollendung,* einem frühen Bericht über sein Leben, wird beschrieben, wie der Heilige »berauscht von Liebe und Mitleid für Christus«, zu singen begann, ähnlich den Vibrationen der Saiten einer Violine. »Aber diese Vorstellung endete in Tränen und sein Überschwang zerfloß in Mitleid mit Christus.« Auf seinem Sterbebett empfing er der Legende zufolge die Stigmata, die Wunden Christi, an seinem eigenen Leib und starb mit einem Psalm auf den Lippen.

Antlitze des Schmerzes

Das Bildnis Christi als Opfer steht im Mittelpunkt von Kunst und Glauben im Mittelalter; es findet sogar seinen Ausdruck in den Darstellungen der Geburt auf bunten Glasfenstern aus dem 13. Jahrhundert. Hier sehen wir keine malerischen Szenen mit Stall und Krippe, den Tieren und anbetenden Königen. An die Stelle der Krippe tritt ein Podium oder

Das Gerokreuz. Holzschnitzerei (Teilansicht). 10. Jahrhundert. Kölner Dom, Deutschland.

Altar, auf dem das Kind wie zum Opfer dargeboten liegt. Dem Gelehrten Emile Male zufolge zeigt uns ein französisches Werk aus dem 13. Jahrhundert den gekreuzigten Christus unmittelbar über dem auf dem Altar liegenden Kind. Das Kreuz erhebt sich aus dem Altar. »Menschliche Gefühle verstummen vor dem Anblick eines solchen Geheimnisses, selbst das Gefühl mütterlicher Liebe. Maria gedenkt in frommer Stille der Worte der Propheten und der Engel, die sich soeben erfüllt haben, heißt es in Bibelkommentaren. Der heilige Joseph schließt sich ihrem Schweigen an. Mann und Frau, den Blick nach vorne gerichtet, scheinen in ihre Seelen versunken zu sein...« Ihr Anblick ist das Ende der Geschichte. Im Kölner Dom hängt eine lebensgroße hölzerne Darstellung, die nach dem Erzbischof, zu dessen Zeiten sie entstand, als das *Gerokreuz* bezeichnet wird. Sie zeigt einen Mann in bemitleidenswerter Gestalt, von Schmerz entstellt.

Wie es gedacht war, geht der Schmerz in diejenigen über, für die das Opfer gestorben ist. In seine Mutter und seinen Vater, die vom Tag seiner Geburt an von der Zukunft verfolgt wurden.

Das im Mittelalter dargestellte Gesicht Christi entspricht dem bärtigen, reifen Bildnis, mit dem wir durch die byzantinische Kunst vertraut geworden sind und das zum allgemein anerkannten »Porträt« werden sollte. Die Aufmerksamkeit, die die Kirche dem Leiden und Opfer Christi geschenkt hatte, machte ihn auf dem Weg über die Identifikation für den gewöhnlichen Menschen begreiflicher, der seine Menschlichkeit so bereitwillig akzeptierte wie frühere Generationen seine Göttlichkeit. Zu einer Zeit, als sich in ganz Europa ein Interesse an Porträts verbreitete, mußte die in der Religion und Kunst bekannteste Figur eine Gestalt annehmen, in der er seinen Platz unter den Helden der Zivilisation einnehmen konnte.

Gleichzeitig erhebt sich zu dieser Zeit die erste große Figur der Geschichte der Malerei aus der Anonymität, die alle ihre Vorgänger umgeben hatte. Es handelte sich um Giotto, ein angeblicher Schüler Giovannis und der erste Meister, der sich der menschlichen Gestalt bediente, um nicht körperliche Vorstellungen auszudrücken. Durch ihn fand der humane Mystizismus, der das Leben des Hl. Franz und die Poesie Dantes ermöglicht hatte, seinen Niederschlag in der Malerei. Verglichen mit den byzantinischen Vorstellungen von Christus als Ikonenfigur, einem geheiligten Symbol, waren Giottos Darstellungen gewagt menschlich, hineingestellt in den Raum, in dem wir leben, erfüllt mit unserem Atem. Er erzielt diese Wirkungen mit einfachen Mitteln: eine energische Auswahl

Glorreicher Christus.
Romanisches Fresko.
12. Jahrhundert. Berzé la Ville, Frankreich.

Christus der Allmächtige
(Ausschnitt). Miniaturikone in Mosaik. Zweite Hälfte des 12. Jahrhunderts. Museo Nazionale del Bargello, Florenz.

In den Gemälden Giottos wird der Funke des griechischen Humanismus weitergetragen und zeigt den Renaissancekünstlern, daß der Körper ein Hilfsmittel des Geistes ist. Giottos Christus ist logisch und glaubwürdig: ein jüdisches Gesicht, dickes, feines Haar und ein federnder, gestutzter Bart. Gleichzeitig rückt die Jungfrau in den Mittelpunkt der christlichen Verehrung. Durch die Zuwendung zu Jungfrau und Kind gelangten die Künstler in den Besitz einer Möglichkeit, die kindlichen Züge fern aller Vorbilder und Traditionen darzustellen. Zwischen der Vorstellung des kindlichen Christusgesichtes und dem Maler mit seinem Pinsel stand jedoch das Bildnis Christi als Mann.

von Licht und Schatten, Ton und Linie aus alternativen Kombinationen, die ein Gefühl der Größe und Weite vermittelt (so drückt es Bernhard Berenson aus). Ohne jede anatomische Kenntnisse (die Studie des nackten Körpers war im Mittelalter undenkbar) gelingt es ihm jedoch, vollendete menschliche Gestalten zu schaffen, deren Bewegungen durch leichte, unfehlbare Linien beschrieben sind, die auch die ernstesten Darstellungen beleben.

Ein moderner Geist, der nicht von einem so tiefen und umfassenden Glauben wie demjenigen Giottos erfüllt ist, wird mit gleichen Mitteln vielleicht nicht solche Leistungen vollbringen. Durch Giotto springt jedoch der Funke des griechischen Humanismus, getragen von einem erhebenderen Glauben, über zu den Renaissancekünstlern, die durch ihn erfahren, daß der Körper ein Vehikel des Geistes ist. Sein

Quentin Massys. *Christus: die Jungfrau.* Linker Teil des Diptychons. Ca. 1510. National Gallery London.

Kölner Schule: *Christus als Erlöser der Welt.* Ca. 1451. Dulwich College Picture Gallery, England.

74

Rogier van der Weyden: *Christus erscheint der Jungfrau* (Ausschnitt). Ca. 1460. National Gallery, London.

Giotto: *Der Judaskuß* (Ausschnitt). 13. Jahrhundert. Scrovegni-Kapelle, Padua.

Antonello da Messina: *Salvator Mundi*. 1465. National Gallery, London.

Hauptanliegen ist nicht die Schönheit des Körpers, sondern der durch ihn lebende und sich äußernde Geist. Dadurch wird seinen Gemälden eine Würde verliehen, die mit irdischen Werten nichts gemeinsam hat, wenn diese nicht durch Christus selbst vermittelt wurden: Nächstenliebe, Mitleid für die Armen und Verfolgten, eine aufrechte Lebensführung. Durch diese Qualitäten wurde Giotto zu einem einzigartigen Geschichtenerzähler in Farbe, der nicht nur Handlungen aneinanderreihte, sondern auch geistige Inhalte übermittelte. Seine Christusdarstellungen, die meist ein Rechtsprofil zeigen, sind folgerichtig und glaubwürdig: ein jüdisches Gesicht mit dickem, feinem Haar und gestutztem, federndem Bart wie bei einem jungen Mann. Selbst bei der auf dem Paduaer Fresko dargestellten Vertreibung der Geldwechseler aus dem Tempel wird sein Gesicht nicht von unchristlichen Emotionen entstellt. Wer könnte jedoch auch diesem ruhigen, furchteinflößenden Blick standhalten, mit dem der verurteilte Mann in die Augen des Judas sieht. Es ist das gleiche Gesicht, das gleiche Profil, das Giotto uns in seiner Darstellung der Himmelfahrt zeigt. Hier ist der Blick jedoch nach oben gerichtet und die Lippen öffnen sich wie in einem angedeuteten Lächeln.

Einige von Giottos Gemälden zeigen Blicke auf Landschaften, die mit kindlicher Direktheit und Einfachheit dargestellt sind. Manchmal sitzt Jesus thronend am Fuße des traditionellen Weinbergs. Inmitten einer seltsam anmutigen Herde von Schafen und Ziegen sehen wir den Hl. Joachim, und der Hl. Franz spricht unter einem reich blühenden Baum zu den Vögeln. Seine Weise, die Welt zu betrachten, wirkte auf die Menschen seiner Umgebung anziehend. »In einem grausamen und unvernünftigen Zeitalter, in dem alle guten Ausdrucksformen der Kunst längst verloren und unter den Ruinen des Krieges vergraben waren«, schrieb Vasari, der erste Biograph früher italienischer Künstler, »beschritt Giotto allein einen Weg, der als der wahre bezeichnet werden kann«. In der Begriffswelt des 13. Jahrhunderts war die Natur, die Schöpfung des gleichen Gottes, der den Menschen erschuf, ein Symbol des Wortes. Gottes Geheimnisse werden uns überall in unserer Umgebung offenbart, lautete die Botschaft der Göttlichen, wenn wir den Schlüssel zu ihrer Entdeckung in der Hand halten. Honorius, von der Klosterkirche von Autun, predigte, daß jedes Geschöpf der Geist der Wahrheit und des Lebens sei und daß das Bildnis Jesu allen Menschen innewohne. Für Adam von Saint-Victor war eine Nuß in der Hand ein Bildnis Christi, wobei ihr Fleisch seine Menschliche Gestalt, ihre Schale das Kreuz und ihr Kern die verborgene Göttlichkeit darstellte. »Künstler des 13. Jahrhunderts«, schreibt Emile Male, »betrachten sich öffnende Knospen mit einer zärtlichen Neugier, die wir nur als Kinder kennen und die wahre Künstler sich ihr ganzes Leben bewahren. Die kraftvollen Sprosse junger Pflanzen, die sich dem Leben entgegenstrecken, beeindruckten sie durch ihre geballte Energie. Eine sich öffnende Blüte wird zum Ornament, das sich über einer Zinne erhebt. Aus dem Boden emporschießende junge Sprosse werden zur Basis eines Kapitells. Die Kapitelle von Notre Dame in Paris sind Blättern nachgestaltet, die vor Lebenskraft strotzen und allein durch ihre Vitalität die Gewölbe und Abaci emporzutreiben scheinen.« Auch die Bildhauer schlossen sich dieser Huldigung der Lebenskraft an und zauberten Blumen und Blätter, Knospen und Sträuße aus dem kalten Stein. »So betrachtete das Mittelalter, fälschlicherweise der Gleichgültigkeit gegenüber der Natur angeklagt, den letzten Grashalm mit Liebe und voller Verwunderung.«

Jungfrau mit Kind

Dies war auch das Zeitalter, in dem die Jungfrau zu einer herausragenden Gestalt der Liturgie wurde, eine christliche Göttin im eigenen Namen. Es gibt mehr als eine Erklärung dafür, warum wir dieses Geschehen mit einem bestimmten Zeitpunkt in der Kirchengeschichte in Verbindung bringen können. Das Erwachen zarterer sexueller Empfindungen zwischen Mann und Frau, allegorisierte Gedichte und Geschichten über das Liebeswerben schienen hier eine Richtung gewiesen zu haben (sogar der wiederentdeckte Aristoteles gab zu, daß die eheliche Liebe manchmal der aufrichtigen Freundschaft gleichzusetzen sei, die ein Mann für den anderen empfand). Gleichermaßen konnte ein Glaubensbekenntnis, das den Geschlechtsakt verabscheute, eine Frau oder auch einen Mann in eine psychotische Beziehung zu der schönen und immer jungfräulichen Maria drängen. Die Anbetung einer Personifizierung der Liebe war in jedem Fall statthaft, auch wenn die Kirche nicht die fleischliche Liebe zwischen Mann und Frau befürwortet hätte.

Ein anderer Aspekt war, daß die Wundergläubigkeit im Mittelalter ebenso stark wie in früheren Zeiten war. Die Vermittlung einer göttlichen Mutter, die – in der Art einer irdischen Mutter – nicht als Richter moralischer Fehltritte auftrat, konnte hilfreich sein, wenn der Bitter sich ihr in der richtigen Weise näherte. Gott war der Rächer des Alten Testaments, von dem keine Nachsicht erwartet werden konnte. Der Sohn hatte die Menschheit mit einer schwerwiegenden Schuld zurückgelassen, die es zu sühnen

»Das Wilton-Diptychon« (Ausschnitt). Französischer Herkunft. Ca. 1395. National Gallery, London.

Die Madonna von St. Vitus (Ausschnitt). Nationalgalerie, Prag.

Duccio: *Jungfrau und Kind mit
Engeln* (Ausschnitt). 1460.
Marmor. Viktoria-und-Albert-
Museum, London.

Raphael: *Die Madonna von Alba*
(Ausschnitt). 1510. Andrew
Mellon Collection, National
Gallery of Art, Washington.

Michelangelo: *Die Madonna und Jesus mit dem Hl. Johannes als Kind.* Tondo. Ca. 1505. Royal Academy of Arts, London.

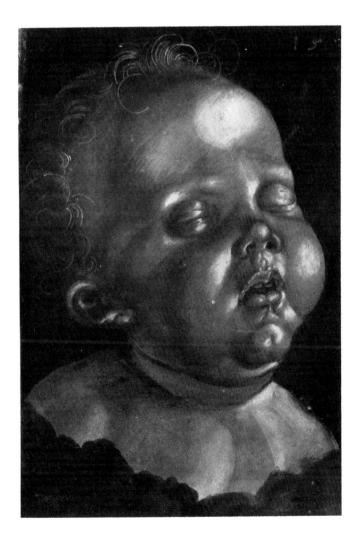

Albrecht Dürer: *Das Christuskind.* Kunsthalle, Hamburg.

Albrecht Dürer: *Madonna mit dem Kind in Windeln* (Ausschnitt). Radierung. 1520. British Museum, London.

galt. Maria aber, die Mutter der Menschheit, war von einer Aura des Mitleids umgeben: sie würde verstehen.

Maria, die sich stets nicht weit vom Mittelpunkt der religiösen Verehrung befunden hatte, wurde in den späten Jahren des Mittelalters zum Angelpunkt des christlichen Glaubens. Reliquien, die ihrer Person zugeordnet wurden, zogen Pilgerströme aus der ganzen westlichen Welt an. Gebete wurden für sie erdacht, in züchtig ausgeschmücktem Latein. Ihr Bildnis, in lieblichen Farben gemalt, zierte Altäre und schlichte Gemäuer. Die schönsten gotischen Kirchen von Paris, Amiens, Laon, Rouen und Reims wurden nach ihr benannt. Die Kathedrale von Chartres ist in großen Teilen ein einziger Schrein ihrer Reliquien: das berühmteste darunter ist die Tunika, die sie bei der Verkündigung getragen haben soll und die 1100 Jahre hier aufbewahrt wurde. Als das ursprüngliche Gebäude im frühen 12. Jahrhundert niederbrannte, schien es, als sei dieser kostbare Gegenstand verloren gegangen. Wunderbarerweise wurde er jedoch unversehrt geborgen, was als Zeichen genommen wurde, eine

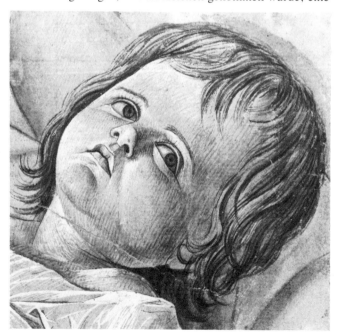

Giovanni Bellini: *Christus als Kind* (Ausschnitt). 15. Jahrhundert. Ashmolean Museum, Oxford.

Sandro Botticelli: *Die Madonna
der Granatäpfel* (Ausschnitt). Ca.
1500. Uffizien, Florenz.

82

noch größere Kirche zu ihren Ehren an der gleichen Stelle zu
errichten.

Als Duccio in den frühen Jahren des 14. Jahrhunderts sein
Altargemälde für die Kathedrale von Siena vollendete, das
die *Jungfrau als Königin des Himmels* darstellt, drängten sich
die Massen, um es zu betrachten. Sie ist in einer
monumentalen Größe dargestellt, vor der die sie
umgebenden, mit einem Heiligenschein geschmückten
Anbeter zwergenhaft klein erscheinen. Für die Bewohner von
Siena wurde dieses Gemälde unter dem Namen *Maestà* oder
Majestät bekannt. Am Tag seiner Aufrichtung in der Kirche,
die im Juni 1311 stattfand, erschien die gesamte Bevölkerung,
um ihm ihre Ehre zu erweisen. Einem Bericht aus dieser Zeit
ist zu entnehmen, »wie sich ein ehrenwerter Bürger nach dem
anderen dem Bild mit einer brennenden Kerze in der Hand
näherte. Dahinter folgten Frauen und Kinder in andächtiger
Haltung. Die Menge geleitete das Gemälde zur Kathedrale,
während die Glocken das *Floria* in Huldigung eines so
vollendeten Werkes läuteten.« Es erinnert an die großen
Denkmäler zu Ehren der Jungfrau, deren Macht über den
mittelalterlichen Geist mit derjenigen von Christus selbst
gleichgesetzt werden kann.

Was ihr Erscheinungsbild anbetraf, so ließen sich Maler
und Bildhauer von ihrer Vorstellungskraft leiten. Da es kein
offizielles »Ebenbild« gab, nach dem man sich richten konnte,
griffen sie in freier Wahl auf Arbeiten ihrer Vorgänger
zurück, die sie ihrer eigenen Phantasie folgend diskret
ergänzten oder verschönerten. Die anmutige junge Mutter,
deren Kind die Hand ausstreckt, um ihre Wange zu
streicheln, und ihr ein Lächeln entlockt, ist das wohl
bekannteste dieser Bildnisse. In Giottos Darstellungen ist
Maria eine etwas matronenhaftere Erscheinung als in der
Thronenden Jungfrau seines Mäzens, dem großen Giovanni.
Duccio wiederum verleiht ihr ein lieblicheres Aussehen als
diese beiden, das teilweise einfach auf einer veränderten
Haltung der Hände beruht. Simone Martini, der nach Duccio
der größte Sieneser Maler ist, zeigt Maria in seiner
Verkündigung in der Kapelle der S. Ansana in Siena als

geschmeidige, östliche Prinzessin in einem märchenhaften damaszenischen Palast. Unter diesen Beispielen der Mariendarstellung aus dem späten Mittelalter sind es möglicherweise diejenigen Giottos, die den überzeugendsten Eindruck hinterlassen: eine Frau jenseits von Mythos und Legende, mit der Gewißheit der Wahrheit gemalt.

Solche Blicke auf die Madonna bieten eine Gelegenheit zu einem Vergleich mit der Darstellung des Kindes, die ebenfalls von einer geistigen Realität zeugt. Im allgemeinen zeigt das Kind anstelle jugendlicher Göttlichkeit eher einen Ausdruck erwachsenen Verständnisses. Jedoch wurde das Gesicht im Mittelalter in einer naiven Ignoranz dieses Anachronismus gemalt, die keinen Gedanken an Unglaubwürdigkeit aufkommen läßt. Zwischen dem erdachten Gesicht von Christus als Kind und dem Maler mit seinem Pinsel steht das Bildnis von Christus als Mann, das einer anderen Vorstellung entsprang. Die Künstler haben dieses Problem nach Maßgabe

Carlo Crivelli: *Die Jungfrau und Kind* (Ausschnitt). 15. Jahrhundert. Viktoria-und-Albert-Museum, London.

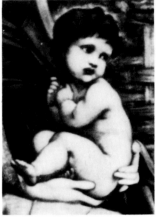

Edward Burne-Jones: *Der Stern von Bethlehem* (Ausschnitt). 1888 – 91. Stadtmuseum und Kunstgalerie, Birmingham.

Gegenüber
Jacques Jordaens: *Die Heilige Familie und der Heilige Johannes der Täufer*. 17. Jahrhundert. National Gallery, London.

Deutsche Schule: *Der Knabe Christus trägt das Symbol des Leidensweges* (Ausschnitt). Dulwich College Picture Gallery, England.

Albrecht Dürer: *Christus unter den Ärzten*. Thyssen Collection, Lugano.

ihres eigenen Wesens und Glaubens gelöst. Das pausbäckige, wissende Kind, das mit einem steten Blick z. B. aus einem Gemälde von Carlo Crivelli schaut, wird in Bildern von Giovanni Bellini zu einem erwachsenen Christus mit anderen Zügen. Ein Marmorrelief von Duccio im Victoria-und-Albert-Museum in London läßt eine subtile Ähnlichkeit zwischen den Zügen der Mutter und dem Kind erahnen, das ihre Hände hält. Das pausbäckige Gesicht, von kindlichen Engeln umgeben, übermittelt ein Gefühl spontaner Vitalität. Die edle *Madonna mit Kind* von Masaccio in der National Gallery in London zeigt das Kind mit verzogenem Gesicht aufgrund des sauren Geschmacks der Trauben, die Maria ihm gerade gereicht hat. Carlo Crivelli stellt ihn wiederum dar, während er den Kopf von der Brust wendet, an der er trinkt, als sei er

von einem Beschauer gestört worden. In einer das *Kind
anbetenden Jungfrau* von Pietro Alemanno in der Pinakotek
von Montefortino ruht er im Schoß der Mutter, nachdenklich
aus dem Bild schauend. Pierro della Francesca verleiht dem
Kind in seiner *Madonna von Senigallia* in Urbino eine fast
patrizierhafte Würde. Weder er noch die Madonna tragen
einen Heiligenschein.

Diese Vielfältigkeit der Haltungen und Gesichtsausdrücke
zeugt von dem Fehlen einer verbindlichen Tradition in der
Darstellung von Jesus als Kind. Angesichts der weichen Züge
eines Kindergesichts und der Schwierigkeit, es als lebendes
Modell zu verwenden, verwundert eine gewisse Disharmonie
zwischen den naturalistischen Darstellungen und den
kanonischen Anforderungen keineswegs. Das Jesuskind stellte

selbst für den größten Meister eine schwer lösbare Aufgabe
dar: das Gewicht der Kirchengeschichte, die Gottesverehrung
über Generationen hinweg hatten ihr Gewicht. Trotzdem war
das Forschen der Künstler nach der Beziehung zwischen
Mutter und Kind für die westliche Kultur von bleibendem
Nutzen. Dieses Thema hat uns seit dem Mittelalter bis in die
Zeiten Picassos und Henry Moores begleitet.

Die Mutter- und Kind-Tradition dient einem anderen
Zweck und entspricht einem anderen menschlichen Bedürfnis
als der sich opfernde Christus. Zwischen dem Bild eines
Kindes in den Armen seiner Mutter und dem Schauspiel, in
dem das gleiche Kind, zum Mann herangewachsen, am Kreuz
leidet und verlassen wird, liegt eine ganze Welt der
Emotionen. In einer zunehmend grausameren Welt, in der
Krankheit, Strafe und Ungerechtigkeit schlichte und
unschuldige Menschen treffen konnten, als seien sie eine
Rache des Schicksals, war der Trost des Sieges Christi am
Kreuz, des zentralen Ereignisses des christlichen Glaubens,
nicht immer überzeugend. Im Norden Europas und auch in
einigen südlichen Gegenden verlieh man der gekreuzigten
Gestalt eine furchtbare Intensität, den Körper verschandelt,
das Gesicht zu einer Schmerzensmaske entstellt. Grünewalds

William Blake: *Christus in der Zimmermannswerkstatt* (Ausschnitt). Aquarell. Ca. 1800. Walsall Museum and Art Gallery, England.

Isenheimer Altarbild ist vielleicht deshalb am bekanntesten, weil es die fürchterlichste und körperhafteste dieser Darstellungen ist. Nicht nur die Entstellung, sondern auch die schiere Blöße des Körpers haben eine schreiende Wirkung. Der Nacktheit, die so lange durch christliche Skrupel verpönt war, wurde jetzt mit expressionistischer Intensität gefrönt. Es gibt eine Grenze der Ausdrucksfähigkeit des menschlichen Gesichtes, wo der Körper einspringt. Die *Pietà von Villeneuve-les-Avignon,* die im Louvre zu sehen ist und von einem unbekannten Maler des 15. Jahrhunderts aus der Provence geschaffen wurde, stellt den steif werdenden Körper in einem dramatisch schlichten Bogen dar. Auf das tote Gesicht ist der Schmerz geprägt. Am ausdrucksstärksten sind die dürren Rippen, die dem Brustkorb entrissen scheinen.

John Rogers Herbert: *Die Jugend unseres Herrn* (Ausschnitt). 1856. Guildhall Art Gallery, London.

Der Gepeinigte

Als Instrument der Emotionen, seien sie stellvertretend oder unmittelbar persönlich, ist der menschliche Körper ein in der Kunst vertrautes Stilmittel. Die ersten italienischen Künstler begannen, diese subjektive Vorstellung in ihren Darstellungen von Christus am Kreuz auszudrücken, und zwar sowohl in Erkenntnis der klassischen Tradition des heroischen Nackten als auch, wie es scheint, der Auswirkungen physischer Empfindungen, die seit den anthropomorphen Anfängen in unserem Bewußtsein sind. Der gekreuzigte Christus, der zuvor als Symbol für einen mit göttlicher Mühelosigkeit über den Tod gewonnenen Triumph galt, wurde von der Schwere und Gegenwart lebendigen Fleisches geprägt.

In seiner Kreuzigung von *Arezzo* in der Nähe von Florenz verleiht der mysteriöse Giovanni, dessen Werke Vorläufer verständlicherer Schöpfungen durch andere Hände sind, seinem Christus einen Körper, der vor Schmerz erstarrt scheint. Der straffe Brustkorb und der Leib sind von einem Muster gespannter Sehnen durchzogen. Die Biegung des Körpers steht im Gegensatz zu der rechteckigen Strenge des Kreuzes.

Die Stärke von Giovannis Vorstellung wird noch deutlicher in einem ähnlichen, jedoch wesentlich größeren Gemälde für die Franziskanerkirche Santa Croce in Florenz, das uns heute nur noch in Reproduktionen vorliegt, da es der Überschwemmung von 1966 zum Opfer fiel. Der gekreuzigte Körper wird mit einem vergeistigten Naturalismus dargestellt. Straff vor Schmerz schwebt er in einem Bogen, der dem aus gemusterten Blöcken bestehenden, düster verzierten Kreuz vorgelagert ist – ein gigantisches Monument in Fleisch.

In seiner klassischen Studie, *Der Nackte*, vergleicht Kenneth Clark diese gemalten Kreuze mit einem graphischen Symbol, einem mächtigen Zeichen, das das Bewußtsein für die Seele wecken soll, das den Menschen der reinen Körperanbetung der heidnischen Kulte enthob. In

Giovanni: *Kreuzigung.*
13. Jahrhundert. S. Domenico, Arezzo.

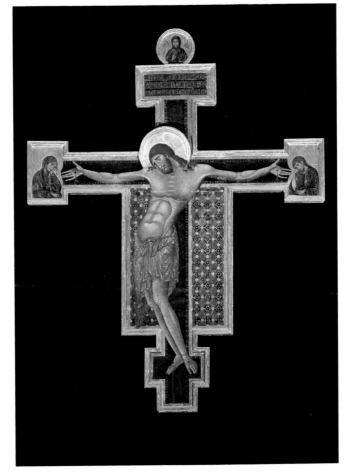

Gegenüber
Grünewald: *Christus am Kreuz* (Ausschnitt). Mitteltafel des *Isenheimer Altars.* 1512 – 15. Museum Unterlinden, Colmar.

Darstellungen der Kreuzigung, die Christus zwischen den beiden gekreuzigten Dieben zeigen, steht die Anmut seines Körpers selbst in Todesqualen im Gegensatz zu dem sich windenden, gemeineren Opfer auf jeder Seite, das mit einem weniger ausgeprägten Realismus gemalt wurde. Wie die frühesten Nacktdarstellungen der Griechen entspricht der Körper Christi einem Kanon, wie Clark es ausdrückt, und befriedigt ein inneres Ideal. Eine ähnliche Erweiterung der künstlerischen Auffassung, die sich nicht nur bei religiösen Themen bemerkbar machte, verleiht den späten mittelalterlichen Gemälden, die als »höfische Gotik« bezeichnet werden, eine besondere Qualität. Die *Anbetung der drei Weisen aus dem Morgenland* von Gentile, geboren in der umbrischen Stadt Fabriano, die in den Uffizien zu sehen ist, ist voll von Landschaftsszenen, nicht nur in der Hauptszene, sondern auch den umgebenden Gemälden. Die hügelige Landschaft der Marken, die geneigten Felder und die sich sanft windenden Straßen, vermitteln einen Eindruck der Teilnahme an dem heiligen Ereignis und der vertrauten, wenn auch idealisierten Welt. Die Darstellung der Geburt läuft in der Tat Gefahr, in solchen strahlenden Details zu ersticken. Christus, in Form einer Büste, schwebt über dieser schwelgenden Szene. Dagegen behandelte Antonio da Fabriano, beinahe ein Zeitgenosse Gentiles, seinen *Christus am Kreuz* im Museum Persanti auf völlig andere Weise. Christus hat ein überraschend natürliches Gesicht, die Augen sind fast geschlossen, die Lippen leicht geöffnet. Auch sticht das Werk durch seine exakte anatomische Ausgestaltung und die blumige Verzierung des Tuches hervor, das von den Hüften des sterbenden Mannes gleitet. Das verzierte Lendentuch ist auch ein Merkmal des *Kreuzes von Pisa*, auch als *Croce dell'Accademia* bekannt, das bereits im späten 12. Jahrhundert von einem unbekannten Künstler geschaffen wurde. Dieses monumentale Werk einer Art, wie sie oft in

Toskanische Schule: *Das pisanische Kreuz*. Spätes 12. Jahrhundert. Uffizien, Florenz.

Fra Angelico: *Die Wehklage über den Tod Christi* (Ausschnitt). Frühes 15. Jahrhundert. Alte Pinakothek, München.

romanischen Kirchen anzutreffen war (heute befindet es sich in den Uffizien), erinnert an die Ikonenbildnisse von Christus, die weitgehend von der mittelalterlichen Kunst verdrängt wurden. Antonio da Fabriano, wie andere Maler dieser Zeit, verwandelt den Heiligen in einen Mitmenschen.

Der höfische Stil wird am deutlichsten in den mittelalterlichen *Stundenbüchern*, reich illustrierten Handbüchern, die später (ungenau) als Missale bekannt wurden und von wohlhabenden Bürgern für die täglichen Andachtsrituale bestellt oder gekauft wurden. Ein *Stundenbuch* enthielt einen Kalender der heiligen Tage oder Erzählungen aus den Evangelien; Gebete; ganze Abschnitte über Stunden der Jungfrau, Stunden des Kreuzes und Stunden des Heiligen Geistes; Reuepsalme; eine Litanei; eine Totenmesse und Bittgebete der Heiligen – ungefähr in der aufgeführten Reihenfolge. Sie wurden von einem professionellen Schreiber auf feinem Pergament geschrieben, die Randverzierungen und Illustrationen stammten aus der Hand hochstehender Künstler. Da ihre Herstellung keiner religiösen Disziplin unterlag, wurden kanonische Ereignisse mit leichter, beinahe lyrischer Auffassung dargestellt. Herrliche Gärten sind zu sehen, gelegentlich von wilden Tieren bevölkert. Auch Jagdszenen mit Enten, Wildschweinen oder Hirschen beleben den Text, manchmal ohne in direkter Beziehung zu diesem zu stehen, obwohl sie dennoch eine Atmosphäre freundlicher Frömmigkeit schaffen. Diese verzierten kleinen Bücher waren so kostbar gearbeitet, daß sie gewöhnlich in einem Umschlag aus Seide getragen oder benutzt wurden.

Die Bilder sind jedoch nicht unbedingt ausnahmslos lieblich und tröstend. Das Märtyrertum ist in oft düsteren Details dargestellt und auch die Passion ist mehr als eine schlichte

Geschichte. Eine *Krönung mit Dornen* in einem Stundenbuch aus Köln (von Reynalt von Homoet) zeigt Christus in hilflos gebückter Haltung mit seiner purpurnen Robe, während seine Peiniger mit einfältigem Grinsen ihres Amtes walten. Ein grotesk verzerrten Narr sitzt zu den Füßen Christi und vollführt beleidigende Gesten. Das Gesicht zeigt einen Ausdruck lebhaften Schmerzes. An den Rändern des Blattes befinden sich gemalte Szenen aus der tierischen Welt der Starken, die über die Schwachen herrschen. Pilatus steht unbeweglich da; sein Weib wirft einen Blick aus einem nahegelegenen Fenster. Ein *Jüngstes Gericht* in einem französischen Stundenbuch (Grandes Heures de Roban) zeigt Christus, noch mit seinen Wundmalen und der Dornenkrone, in der Rolle des allmächtigen Magistrats, ein langes Schwert in seiner Rechten, die Erdkugel in der Linken – keineswegs eine trostspendende Gestalt. Darüber bläst ein Engelsquartett die Trompete des Jüngsten Gerichts mit sichtlichem Vergnügen. Darunter klettern erbarmungswürdige menschliche Wesen aus ihren Gräbern.

Künstler und Mensch werden eins in der Person des Fra Angelico, von dem behauptet wurde, daß er in jedem seiner religiösen Gemälde als unsichtbarer Teilnehmer gegenwärtig ist. Das verleiht seinem Werk eine unmittelbare Ausstrahlung, durch die es hervorsticht und der Ungläubigkeit mit einer aufrechten Reinheit der Vision entgegentritt: der Vision eines Dominikanerbruders, der »der Ruhm, der Spiegel und die Zierde der Maler war«, wie es in seiner Grabinschrift heißt, und »ein wahrer Diener Gottes«. Angelicos *Wehklage über den Tod Christi* im Museo di San Marco in Florenz, zum Gedenken an einen Spender gemalt, der von Visionen der Leiden Christi heimgesucht wurde, zeigt sein Haupt mit einer edlen Erhabenheit im Tod, das Gesicht noch jugendlich, mit einem letzten Anflug von Farbe auf den Wangen. In einem Fresko von Angelico im Museum San Marco, der *Jungfrau und dem thronenden Kind,* dominiert die kleine Gestalt des Jesus die gesamte Großkomposition (zu der acht Heilige zählen), indem sein Blick direkt auf den Betrachter gerichtet ist. Bei genauem Hinsehen offenbaren sich wahrhaft engelhaft Züge, flachsblond und ausdrucksvoll, strahlend vor Liebe. Das gleiche Gesicht sehen wir auch bei dem Gekreuzigten in Angelicos *Kreuzabnahme* (ebenfalls in San Marco) wieder, als er sanft vom Kreuz gehoben wird – vermutlich eine der schönsten Versionen dieser Szene, die wir kennen. Einige Gelehrte äußerten Zeifel, daß Angelico das ganze Bild gemalt hat. Daß das Gesicht nur aus seiner Hand stammen kann, steht jedoch außer Frage.

Von den *Quattrocento*-Künstlern sind vielleicht nur noch die Werke von Giovanni Bellini, des großen venezianischen Meisters, ähnlich ergreifend. Seine Pietà, von der sich Versionen in der Pinacoteca di Brera in Mailand und der National Gallery in London befinden, zeigt einen Christus, dessen Qual sich eher in dem erschöpften Gesicht als einer expressionistischen Darstellung des Körpers offenbart. Die äußerliche Erscheinung bleibt unversehrt, sodaß die körperliche Anmut umso schmerzlicher erscheint. Die trauernden Frauen sind Opfer eines zweiten Leidens, das den Katholiken als Passion der Jungfrau bekannt ist und ein Nachhall der Kreuzigung war. In einigen Versionen wird der tote Mann im Schoß geborgen, als sei er wieder ein Kind. Marias Gesicht, in den Darstellungen der Geburt und der Jungfrau mit Kind von regungsloser Ruhe, gibt schließlich nach. Wir erfahren: »Sie denkt an die Dornen, die sich in sein Haupt gedrückt haben, an Blut und Speichel, die sein Gesicht entstellen. Und sie kann ihre Augen nicht von diesem Bild wenden.«

In Nordeuropa schuf ein Zeitgenosse Bellinis, Rogier van der Weyden, den die Italiener als diesem ebenbürtig betrachten, eine neue Blüte künstlerischen Glanzes. Seine

Fra Angelico: *Thronende
Jungfrau und Kind mit Heiligen*
(Ausschnitt). 1418 – 29.
St. Markus, Florenz.

Kreuzigung, die sich im Escorial befindet, ist die Sicht des symbolischen Dramas aus den Augen Gottes, das sich in der Kathedrale des Weltalls ereignet. Seine noch berühmtere *Kreuzabnahme* im Prado verlagert dieses Ereignis wiederum in die gewöhnliche Welt der Menschen. Sein Gemälde zeigt den toten Leib Christi, der von liebenden Händen abgenommen wird, in beinahe der gleichen Haltung wie die Madonna, die vor Schmerz das Bewußtsein verliert. Die beiden Gestalten scheinen in Eintracht der Erde entgegenzusinken, vereint in gemeinsamer Qual. Die gesamte Komposition wird von einer Atmosphäre zärtlicher Resignation beherrscht.

Kunst als Mittel der Überbringung so starker Gefühle ist eine Kunst, deren treibende Kraft die Darstellung der Menschlichkeit ist. Die »Humanisierung« des christlichen Glaubens ist daher eine der großen Leistungen der religiösen Kunst im Mittelalter. Mit den Heimsuchungen der Pest und anderer Grausamkeiten, die im Namen Gottes stattfanden, begann sich jedoch das Bild Christi zu wandeln. Jene heiteren Darstellungen von Geschichten aus dem Testament, die den Kirchbesuchern im 13. Jahrhundert vertraut waren, in denen Entsetzen und Tragödie mit erhabenem Stoizismus ertragen wurden, wichen Szenen, deren Kern das Elend war. Das Lamm Gottes wird zum Leidtragenden. Das Königliche wird nur in einigen wenigen Meisterwerken bewahrt, so der mysteriösen *Auspeitschung* von Piero della Francesca in Urbino. Das göttliche Gesicht verrät schließlich die Qual, die darin liegt, Mensch zu sein.

Diese Gestalt, die im späten Mittelalter in Frankreich besonders weit verbreitet war, kennzeichnet in der westlichen

Gegenüber
Fra Angelico: *Die Kreuzabnahme.*
1424. St. Markus, Florenz.

Oben
Giovanni Bellini: *Pietà.* Ca. 1470.
Brera, Mailand.

war schlicht undenkbar. Für die Griechen, denen physische Häßlichkeit unedel erschien, existierten gottähnliche Eigenschaften nur in göttlicher Form, wobei sich Körper und Geist in vollkommener Harmonie miteinander befanden. Als Konzept hatte diese Vorstellung auch ihren Weg in die christliche Kunst gefunden, wo die Künstler mit ihrer Hilfe abstrakte Gedanken in körperhafter Form darstellen konnten. Das persönliche Empfinden der Sünde, für die Buße getan werden mußte, mußte jedoch ebenfalls seinen Ausdruck in der christlichen Kunst finden. Die Folge war, daß der Christus, der in früheren Zeiten als Überwinder des Todes dargestellt wurde, jetzt eine andere Rolle annahm. Der Hl. Anselm, ein Kirchenmann und Philosoph italienischer Herkunft, der die Nachfolge Lanfrancs als Erzbischof von Canterbury antrat, predigte, daß die Verzeihung von Todsünden die wahre christliche Mission sei. Wie in feudalistischen Zeiten wurden gegen eine hochstehende Persönlichkeit begangene Vergehen härter bestraft als solche gegen eine Person niedrigen Rangs. Daher stellte die Buße, die Christus auf sich nahm, in all ihrer Grausamkeit eine endlose Sühne dar. Daraus war zu schließen, daß auch die Sünde des Menschen endlos war. Der Leidensweg wurde zum Kernstück des christlichen Sakramentes und ein beherrschendes Thema von Skulpturen, Gemälden und Kirchenfenstern, die den Gläubigen diese Botschaft zuriefen. Jede Station des Kreuzweges verlangte nach schuldbewußten Gebeten; die *via dolorosa* wurde eine Straße der irdischen Büßer. Im Himmel mochte Gott weiterhin der gütige Vater sein. Auf der Erde betrachteten die Sünder das Gesicht und die Wunden des mißhandelten Christus und erschauerten.

religiösen Kunst den äußersten Punkt der Entfernung von ihren hellenischen Ursprüngen. In der griechischen Kunst war nicht nur die Erniedrigung eines Menschen in einem solchen Bild kaum vorstellbar, sondern die Erniedrigung eines Gottes

97

Rogier van der Weyden: *Die
Kreuzabnahme*. Ca. 1432. Prado,
Madrid.

Ein Licht im Osten

Die Verbreitung des Christentums im Osten sah ihren Höhepunkt in der Bekehrung Rußlands, die ungefähr zur gleichen Zeit stattfand, als Europa aus der Dunkelheit des Mittelalters auftauchte. Eine Legende besagt, daß Prinz Wladimir von Kiew auf der Suche nach der besten aller Religionen den Islam für zu streng (er verbietet das Trinken von Wein) und den jüdischen Glauben für zu einsam (alle seine Anhänger lebten im Exil) befand. Berichte der Boten Wladimirs aus Byzantium sprachen jedoch von so wundervollen Kirchen und Gottesdiensten, daß »wir nicht wußten, ob wir uns im Himmel oder auf der Erde befanden«. Wladimir heiratete die Schwester des byzantinischen Kaisers Basilius II., und bald darauf wurde das Christentum zur Religion seines Volkes. Kiew entwickelte sich der byzantinischen Tradition folgend zu einem neuen Zentrum der christlichen Kunst, dessen Einfluß noch heute in Rußland überall zu spüren ist.

Aufgrund ihrer recht isolierten Situation, die sie an regelmäßigen, friedlichen Kontakten mit dem Westen hinderte, sollten die Ausübung des Glaubens und die christliche Kunst der Russen streng orthodoxe Züge annehmen. Die Schriften, in ein entsprechend blumenreiches Russisch übersetzt, wurden als Quellen der Weisheit wörtlich aufgefaßt. In der Kunst wurden ihre Nationalhelden wie z. B. Alexander Newsky, denen man durch den Strahlenkranz einen heiligen Status verlieh, in der steifen, stilisierten Tradition der byzantinischen Malerei dargestellt. Stärker noch

In der östlichen Kirche wurde die Gestalt Christi mit einer erhabenen Geistigkeit ausgestattet, die ihren höchsten Ausdruck in der Ikone fand. In offensichtlichem Widerspruch zum christlichen Gebot wurden die Ikonen selbst zum Gegenstand der Verehrung. Jedoch wurde ein von Menschenhand geschaffenes Bildnis des Sohnes, der leibliche Gestalt annahm, in erweitertem Sinn als statthaftes Bildnis von Gott selbst betrachtet. Durch die Tradition der Ikonen sollten die Gesichtszüge Christi für tausend Jahre festgelegt werden.

Andrej Rublew: *Der glorreiche Erlöser* (Ausschnitt). Miniaturikone. 10. Jahrhundert. Tret'iakow-Galerie, Moskau.

Christus und der Hl. Menas
(Ausschnitt). Koptische Ikone. 6.
Jahrhundert. Louvre, Paris.

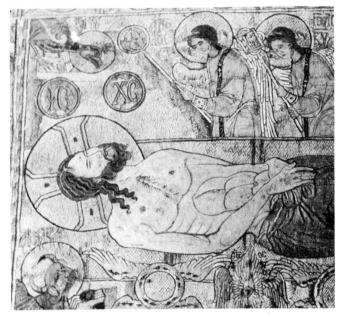

Christus von Engeln betrauert
(Ausschnitt). Epitaph aus
Saloniki. Bestickte Seide.
Byzantinisches Museum, Athen.

als im mittelalterlichen Europa predigte die Russisch-
Orthodoxe Kirche die Tugenden des Leidens in Nachahmung
des Beispieles, das Jesus uns gegeben hat, und hegte
gleichzeitig das Ideal der christlichen Nächstenliebe als
Grundlage des Zusammengehörigkeitsgefühls der Nation.
Moskau, so schworen die Kirchenväter, sollte nicht den
gleichen Weg gehen wie Rom und Byzantium: indem man
sich an den Buchstaben des Wortes hielt, würde Moskau zum
»dritten Rom« werden.

Die Tatsache, daß die byzantinische Kunst vom slavischen
Volk so bereitwillig übernommen wurde, dessen Kultur sich
deutlich von derjenigen ihrer Urheber unterschied, ist sowohl
der orthodoxen Kirche als auch der Position zu verdanken,
die ihr Zentrum Konstantinopel damals einnahm. Selbst nach
der Eroberung durch die Türken übte das alte Byzantium
noch einen mächtigen kulturellen Einfluß aus, der über die
Grenzen des früheren römischen Reiches hinausging. *Die
Jungfrau von Wladimir,* eine zu Beginn des 12. Jahrhunderts
in Konstantinopel entstandene Ikone, die nach Rußland
gelangte, war für einen Zeitraum von 300 Jahren eine
anerkannte Vorlage für russische Ikonen, obwohl ihre
Herkunft vermutlich in Vergessenheit geriet. Auf die gleiche
Weise gelangte der byzantinische Christus in unmodifizierter
Form als anerkanntes ikonographisches Porträt in die
russische Kunst. Angesichts der Frage, warum sich
byzantinische Stile in einer slawonischen Bezugswelt so
hartnäckig am Leben hielten, bemerkte Jean Lassus in seiner
Abhandlung über die frühe christliche und byzantinische
Kunst, daß die Engel mit den gleichen Bewegungen laufen,
ihre Umhänge in den gleichen Falten über ihre Tuniken fallen
und auch die Gesichtsausdrücke gleich sind, gleichgültig, ob
es sich um asketische alte Männer mit krausen Bärten,
Kirchenväter mit hoher Stirn oder Engel mit feinen Zügen,
gesenktem Haupt und festen Locken handelt: »Es ist die
gleiche menschliche Natur von dem gleichen Geist erfüllt«.

Die Kontinuität des imaginären Porträts Christi ist
gleichermaßen auffallend. Wieviele Ikonen man auch
betrachten mag, die Züge Christi sind unabänderlich
dieselben. Ihre kumulative Macht wird durch die fast
unheimlich anmutende Unabänderlichkeit um so größer, ganz
zu schweigen von der blendenden Wirkung der Gemälde und
Verzierungen. Ein einziges, allgemein anerkanntes Bildnis
Christi überdauerte Generationen von orthodoxen Anbetern.
Wie Jean Lassus bemerkt, hat die Auffassung von Giotto, die
Anmut Fra Angelicos und die Schauerlichkeit Grünewalds
viele der westlichen Gläubigen mit künstlerischen Stilen

ኢታርእየነ፡እግዜ፡እ፡ገሃነመ።   ይኩ፡ን፡ዕሩየ፡ወደብ፡ሰ፡መ።
ሕሳት፡ውዑየ፡ወኢትስድደ፡ኒ።   ሰጻድቃኒሁ፡ንዐ፡ንቢየ፡ቀ፡ሩ።
እጹር፡ምስለ፡ኃጥአን፡ሥታየ።   ክኒሁ፡ለቡራክ፡አቡየ።
እግዜ፡እ፡ብሔር፡ወልድከ፡አመ

Sitzender Christus zwischen
Himmel, Erde und Hölle.

vertraut gemacht, die uns stärker ergreifen. »Jedoch können wir an der byzantinischen Ausdrucksform nicht vorübergehen, ohne uns angesprochen zu fühlen. Die Tiefe dieser Augen, die Bescheidenheit dieser Lippen, das Schwingen der Flügel und der Glanz dieser himmlischen Lichter haben ohne Frage eine geistige Bedeutung für uns. Denn die byzantinische Kunst ist religiöse Kunst.«

Der als *Ikonostasis* bekannte bemalte Schirm war ein Merkmal russisch orthodoxer Stätten der Gottesverehrung, der dem gleichen Zweck diente wie die Altarschranke im Westen oder der Vorhang im Orient und das Heiligtum von den Gläubigen trennte. Gleichzeitig war der Ikonostasis jedoch auch eine glorios gemalte visuelle Ausgestaltung der Liturgie. Mit seinen zahlreichen Gestalten, Szenen und Tafeln gab er der Gemeinde Auskunft über die Lehren des orthodoxen Glaubens. Das Malen so heiliger Gegenstände war selbst ein Akt der Gottesverehrung, der von Mönchen im Zustand der Gnade ausgeführt wurde. Die Arbeiten wurden auf präparierten Tafeln aus Birke, Kiefer, Linden- oder Zypressenholz und mit Farben, denen Eigelb zugesetzt wurde, nach einem ebenso streng vorgeschriebenen Verfahren ausgeführt, wie bei jeder anderen Form der orthodoxen Gottesverehrung. Die Mächte, die für die Gläubigen solchen ehrfurchtseinflößenden Gegenständen innewohnten, wurden manchmal auf die Probe gestellt. Als Nowgorod im Jahre 1198 belagert wurde, trugen die Einwohner eine große Ikone der Jungfrau rund um die beschossene Stadtmauer, um Schutz zu erflehen. Als die Ikone von feindlichen Pfeilen getroffen wurde, sah man die Madonna weinen. Und die Ikonenmaler verfügten über ein weiteres Thema, als die Belagerung vorüber war.

Die frühesten Ikonen wurden für Kirchen und religiöse Prozessionen angefertigt. Aber ein Bedarf an leichter zu transportierenden Exemplaren führte zur Herstellung kleinerer Ikonen, die von Privatpersonen sowie in Familienkapellen verwendet wurden. Der Besitzer konnte einen mit Edelsteinen besetzten Rahmen für die Ikone arbeiten lassen oder ein Metallgehäuse, das nur den Blick auf wenige Schlüsseldetails des Gemäldes freigab, als könne man seine volle Schönheit nicht ertragen. Wladimir legte bei der Errichtung von Kirchen eine solche Eile an den Tag, daß die russischen Handwerker, ungeübt in der Verwirklichung solcher Projekte, unter der Anleitung von Experten aus Bulgarien arbeiten mußten. Allmählich bildete sich eine nationale Schule heraus, die sich vor allem in Nowgorod hervortat und deren Stil des Porträtierens wesentlich weniger streng als in der griechisch orthodoxen Kunst war. Die Gesichter z. B. zeigten ein natürlicheres Oval. Eine ruhige Heiterkeit verleiht den frühen russischen Ikonen besondere Anmut. Später, unter dem Einfluß strengerer Gepflogenheiten in Klöstern und religiösen Einrichtungen, nahm der Stil asketischere Züge an. Die Namen zweier Ikonenmaler des mittelalterlichen Rußlands ragen als ebenbürtige Entsprechungen der Künstler von Siena und der Marken hervor: Theophanes, der ursprünglich aus Byzantium stammte, und Andrei Rublev, 1370 in Rußland geboren, dessen Schöpfungen über einen Zeitraum von ca. 40 Jahren – er besaß eine Werkstatt nach westlichem Vorbild – zu den großen Leistungen der russischen Kunst zählten, die sogar im atheistischen Zeitalter von den Russen anerkannt wird.

»Das nicht von Hand geschaffene Bild«, wie es in der Geschichte bekannt ist, entstand in Anlehnung an die Legende der Veronika und taucht häufig auf, manchmal als »Unser Heiland mit dem nassen Bart«, so bezeichnet aufgrund der deutlich zugespitzten Form des Bartes in diesen Versionen. Im allgemeinen ist jedoch die Jungfrau das beliebteste Thema der russischen Ikonenkunst. Einer ähnlichen Beliebtheit erfreut sich der Hl. Georg, der

Christus Emmanuel. Mosaik. Ca.
1300. Kahrie Cami, Istanbul.

gelegentlich christusähnliche Züge zeigt. Es ist verständlich,
daß ein so legendärer christlicher Held eine attraktive
Alternative zu Christus als Gegenstand einer Ikone darstellt,
der dem Künstler mehr Freiheit läßt und gleichzeitig mit den
ritterlichen Tugenden des christlichen Glaubens ausgestattet
ist. Nicht weniger bekannt ist er im christlichen Orient,
insbesondere in Äthiopien. In der russischen Kunst zeigt sein
Schild manchmal das Gesicht der Sonne, das an heidnische
Ursprünge denken läßt, derer man sich vielleicht noch dunkel
erinnerte. In westlichen Darstellungen erscheint er in einer
traditionelleren Heiligenthematik, während er den
Ritterschlag des Himmels empfängt. Schließlich ist das
Symbol des Hl. Georgs mit dem Drachen so eng mit
demjenigen von Christus als Feind allen Übels verwandt – das
im Buch der Offenbarungen als der »große Drachen«
bezeichnet wird – daß sich eine Analogie aufdrängt.

Während die russisch orthodoxe Kirche einen großen Teil
der abendländischen Kultur übernahm, erfreute sich die
byzantinische Kunst einer letzten Wiederbelebung,
insbesondere auf dem Peleponnes. Ein Mosaikenzyklus in der
kleinen Kirche von Karie Cami, der aus dem 14. Jahrhundert
stammt, veranschaulicht das Leben Christi und der Jungfrau,
begleitet von Hinweisen auf neu eingeführte Hymnen. Diese
Interpretation zeugt von einer zuvor unbekannt familiären
Auffassung: Hebammen bereiten ein Bad für den neu
geborenen Jesus, die Jungfrau bei ihren ersten Gehversuchen
als Kleinkind, Bettler und Krüppel in flehentlicher Bitte um
ein Wunder Christi. Eine sich darüber befindende Darstellung
des Jüngsten Gerichts zeigt Christus in seiner königlichen
Rolle, umgeben von einer himmlischen Heerschar; hier zeigen
sich eine in der byzantinischen Kunst bisher unbekannte
Freiheit und Vitalität. In der peleponnesischen Zitadelle
Misra enthalten zahlreiche Kirchen aus dem 13. und 14.
Jahrhundert Mosaike ähnlichen Charakters, die mit einem fast
theatralischen Sinn für Effekte ausgeführt wurden, wobei sie
die leuchtend bunt gekleideten Gestalten auf dieser
tumulterfüllten Bühne in verblüffend lebendigen Haltungen
zeigen. In einer dieser Szenen, die von Jean Lassus
beschrieben wird, wandelt Christus durch eine Felsenschlucht
zum Grab des Lazarus. Die Pharisäer, bis zu den Knien
unsichtbar, schauen zu. Einige Männer haben gerade die
Marmortür geöffnet, die jetzt den Blick auf Lazarus freigibt,
der sich in seinen Hüllen erhebt, geführt von einem Freund,
der die Nase in seinem Schal verbirgt.

Es liegt nahe, eine solche Szene, die mit einem
Naturalismus gemalt wurde, der für die byzantinische Kunst
ungewöhnlich ist, mit zeitgenössischen Äquivalenten aus
Italien zu vergleichen, d. h. die Schöpfer der Mosaike von
Misra mit dem Maler Giotto. In beiden Zentren des
christlichen Glaubens zeigte die Kunst Bestrebungen, sich von
alten Formen zu befreien. Der wahre Wert der byzantinischen
Kunst bleibt jedoch ihre sich selbsterneuernde Kontinuität.
John Ruskin zollte ihr in einer vor über 100 Jahren
gehaltenen Vorlesung ein Lob, das heute noch Bestand hat,
so gewagt es in der damaligen Zeit auch gewesen sein muß.
»Es war eine Schule«, meinte er, »die den Kunstgelehrten des
13. Jahrhunderts Gesetze gebracht hat, die Phidias gedient
hätten, und Symbole, die Homer für gut erachtete, sowie
Methoden und Traditionen der Malerei, durch die die
Arbeiten auch des schlichtesten Handwerkers stilistisch
verfeinert wurden. Sie wurde zu einer Schule der
höherstehenden Künstler, wie sie keine literarische Disziplin
zu bieten hat.« Gegen Ende des 14. Jahrhunderts hatte die
byzantinische Kunst noch ein langes Leben vor sich. Im
Westen zeichnete sich bereits der Übergang vom Mittelalter
zur Renaissance ab.

Der humanistische Gedanke

»Das üble Beispiel des römischen Hofes hat alle Frömmigkeit und Religiosität in Italien vernichtet«, schrieb Nicolo Machiavelli auf dem Höhepunkt der italienischen Renaissance. Es handelte sich um eine verzeihliche Übertreibung: war doch das Papsttum damals zu einer der korruptesten Institutionen des Christentums geworden. Ein Heiliger Vater nach dem anderen widmete sich einer Karriere, die der Politik und dem Luxus ebenso diente wie der Erhaltung der äußeren Zeichen des Glaubens. Papst Sixtus IV. rief zur Blutrache auf, die zur Ermordung von Giuliano de Medici führte. Alexander VI. gab ein Porträt seiner offiziellen Mätresse in Auftrag, das über der Tür seines Schlafzimmers seinen Platz haben sollte, in den Gewändern der Jungfrau Maria. (Er war es auch, der den fürchterlichen Cesare Borgia zeugte, der dem bewundernden Machiavelli als Modell für seinen Erzdespoten in *El Principe* diente.) Julius II. sah sich gern im Waffenkleid und führte seine Truppen in die Schlacht, wobei er bei einer Gelegenheit die Mauern von Bologna zerstörte. Leo X. verbrachte den größten Teil seiner Zeit beim Spiel und auf der Jagd, nach seiner Maxime lebend: »Das Papsttum ist unser; laßt es uns genießen.«

Die ungezügelte Verschwendung von Reichtum und Macht hat jedoch gelegentlich auch eine zweite Seite. So ließ der Papst Sixtus die Sixtinische Kapelle errichten. Alexander beschäftigte Raphael und Michelangelo, ebenso wie sein Vorgänger Julius. Der Papst Leo, ein Medici, erwarb sich einen Ruf als Bibliophiler und Mann der Lehre, dem Raphael seinen berühmten Bericht über die antiken Schätze Roms zukommen ließ.

Weltlichkeit und Selbstsucht waren in anderen Worten kein Hindernis für kulturelle Abenteuer. Selbst die Machenschaften eines Machiavellis, obwohl sie in direktem Widerspruch zu den Vorsätzen der Christenheit standen, konnten mit den zweideutigen Lehren der Kirche in Einklang gebracht werden, die sich jetzt in den Sog eines kapitalistischen Systems in seinen Anfängen gezogen sah. Christliche Bekenntnisse und Lehren existierten daneben in einer veränderten Umgebung – mit einem neuen, aggressiven Intellektualismus. Diese Lehren beruhten weiterhin auf der Gewißheit der Dreieinigkeit und des Lebens nach dem Tode – Bekenntnisse, die eher der Offenbarung als dem verstandesmäßigen Erfassen entsprangen und daher von skeptisch denkenden Philosophen nicht in Zweifel gezogen werden konnten. Im überwiegenden Teil der Bevölkerung lebte der Glaube des Mittelalters unversehrt weiter. Die Renaissance war ebenso eine Ära des Wissensdurstes und der kreativen Abenteuer wie eine Zeit des eifrigen Purismus, verkörpert durch Savonarola. Die glitzernden Spielzeuge der neuen Gesellschaft wurden – als »Eitelkeiten« abgetan – in Stößen verbrannt. In Florenz erklärte die Bevölkerung Jesus zum Herrscher der Stadt. Im Norden fühlten sich ganze Völker vom grimmigen Ernst Martin Luthers, einem Bergmannssohn, angezogen, der das Recht des Papstes, Sünden zu vergeben, nicht anerkannte.

Inmitten dieses Umtriebs und Aufruhrs kam es in Europa zu einer begeisterten Wiederbelebung der Antike. Das Heraufbeschwören der Vergangenheit wurde zu einer Art Besessenheit, denn jede Statue, jedes Relikt schien vergessene Errungenschaften von Männern eines gottlosen Zeitalters an den Tag zu bringen, deren Betrachtung jedoch erfreute und sogar ernüchterte. Sie wurden als heroische Bildnisse einer Art angesehen, die in der modernen Welt unbekannt war. Diese Schätze und die Wiederentdeckung der klassischen Dichtkunst und Philosophie hatten tiefgreifende, erschütternde Auswirkungen. Selbst die antiken Moralvorstellungen galten als ehrenwert und menschlich. Wie konnte all dies von Menschen ersonnen werden, die Christus nie begegnet waren.

Sandro Botticelli: Geheimnisvolle
Geburt (Ausschnitt). Ca. 1560.
National Gallery, London.

Man gedachte Gott wiederum in menschlichen Bildern.
Neben Darstellungen, die die Kirchen, Klöster und
Kathedralen Italiens zierten, tauchte eine Art gebilligten
Heidentums auf, eine Rückkehr zu alten Mythen, durch die
Maler und Bildhauer das Wesen der Kunst als Ausdrucksform
des menschlichen Geistes erneut bestätigten. Botticelli ist
vielleicht das vertrauteste Beispiel. Der Mäzen, der *Die
Geburt der Venus* in Auftrag gab, enthob ihn der Aufgabe,
ein Bild über ein christliches Thema zu malen. Stattdessen
schuf Botticelli eines der erhebendsten Werke der westlichen
Kunst, das körperliche und geistige Schönheit in einem
Rahmen vereint, bei dem nicht auf die christliche
Ikonographie, sondern großenteils auf heidnische
Vergangenheiten zurückgegriffen wurde. Seine Grazien
unterscheiden sich in ihrem Ausdruck befangener
Weiblichkeit nicht sichtbar von der Jungfrau seiner religiösen
Gemälde. In seiner *Anbetung der drei Weisen aus dem
Morgenland* stellt er sich selbst, vom Kinn bis zu den Füßen
in einen Umhang gehüllt, als gleichgültiger Beobachter dar,
der seinen Blick von Jungfrau und Kind abgewendet hält und
den Betrachter mit skeptischem Starren konfrontiert. Die
Gelehrten sind noch dabei, die Bedeutungen dieser
zusammenhängenden Andeutungen und Themen zu
entschlüsseln. Was Botticelli jedoch unsterblich macht, ist
seine Verschmelzung des Mystischen mit dem Realistischen,
die er erzielt, indem er die Regeln seiner Kunst mißachtet,
wenn es ihm erforderlich scheint, und seine unmittelbar
überzeugenden Gestalten in Räumen und Proportionen
darstellt, die nur in der biblischen Vorstellungswelt existieren.

Wo bleibt bei all dem das Gesicht Christi? Botticelli, ein
hingebungsvoller Bewunderer Savonarolas und aller
Gedanken, die er repräsentierte, hätte die gleiche Frage
stellen können. Möglicherweise war seine große *Naivität* in
der National Gallery in London seine persönliche Deutung

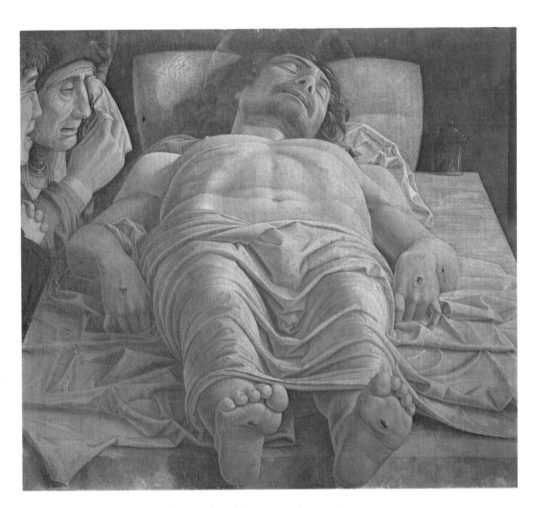

der Kräfte, die Savonarola hervorgebracht haben. Seine Inschrift auf diesem Bild weist auf das Jahr 1500 als Entstehungsdatum hin, – »angesichts der Erfüllung des Elften Kapitels des Hl. Johannes, in der zweiten Wehe der Apokalypse, im Wirken des Teufels für dreieinhalb Jahre«. Dieses Gemälde glüht vor religiösem Eifer. Das Gesicht Christi ist in der unteren Mitte zu suchen, in dem Antlitz des nackten Kindes, das bittend zur Madonna aufsieht, die ihre Augen im Gebet geschlossen hält.

Maler konnten sich jetzt nicht mehr durch schlichte Interpretationen christlicher Themen einen Ruf verschaffen, sondern mußten sich als Neuerer in eigener Sache hervortun. Zu dieser Zeit betrachtete niemand Mantegna als einen »religiösen« Maler, obwohl er eine Reihe von Werken hinterließ, aus denen der glühende Eifer eines überzeugten Christen spricht. Stattdessen war er als der unvergleichliche Beherrscher der antiken Darstellungsweise bekannt, von dem Leonardo 1502 behauptete, er könne »in Sekundenschnelle Menschen und Tiere jeden Alters und jeder Gestalt, sowie Ausdruck, Kleidung und Geste aller erdenklichen Personen so lebensähnlich darstellen, daß sie sich fast zu bewegen schienen«. Es waren Mantegnas künstlerische Fertigkeiten, die ihm gemeinsam mit seiner Leidenschaft für die Klassik schon zu Lebzeiten Ruhm eintrugen. Eine dokumentarische Auffassung von Details und vor allem die meisterhafte Handhabung der dritten Dimension verlieh manchem seiner Werke die Überraschungswirkung eines Zaubertricks.

Der tote Jesus in der Brera in Mailand führt den Zuschauer unmittelbar an den Fuß der Platte, auf dem der Körper aufgebahrt ist. Höhe und Gewicht werden durch die verkürzte Darstellung übermittelt, die der Maler gewählt hat und die in der Realität auch dem Blickwinkel des Betrachters entsprechen würde. Durch den genialen Gebrauch der Perspektive folgt das Gesicht Christi dem Betrachter,

gleichgültig in welcher Position er sich befindet. Die
persönliche Konfrontation mit einem solchen Anblick ist für
die wenigsten vorstellbar; er zieht den Blick durch seine
Ungewöhnlichkeit und Kraft an. Unter religiösem Aspekt
führt Mantegnas sehr persönliche Tendenz zur Darstellung
von biblischen Szenen in romanisierter Art nicht zu einer
Minderung ihres Wahrheitsgehaltes. Bernhard Berenson, der
Wortführer der Renaissancekunstgelehrten, beklagt, daß
Mantegna vergessen zu haben scheint, daß die Römer Wesen
aus Fleisch und Blut waren, denn er malte sie so, als hätten
sie zu allen Zeiten nur in Marmor existiert, feierlich in ihrer
Haltung und gottähnlich in Ausdruck und Gesten. Man dürfte
Mantegna ebensowenig vorwerfen, daß er die christliche
Kunst romanisiert habe, gibt er zu, wie man Raphael
vorwerfen könne, den Hebraismus hellenisiert zu haben.
Denn beide hätten so vollendete Werke geschaffen, daß die
Bibelgeschichten vor dem geistigen Auge der meisten
Europäer bis zum heutigen Tage in der Gestaltung
erscheinen, die auf diese beiden Renaissancemeister
zurückgeht.

Raphael ließ sich von dem griechischen sowie dem
römischen Ideal leiten, der »Meisterkünstler der Humanisten«
zu werden. Es ist das griechische Erbe in der westlichen
Kunst, das sich behauptet hat und der Imagination von
Malern und Bildhauern bis zum heutigen Tag Nahrung gibt.
Raphael kennzeichnet somit einen Höhepunkt in der
Kunstgeschichte, auf den zahllose Bilder religiöser und
weltlicher Art zurückgehen, die späteren Generationen ihr
ganzes Leben lang gegenwärtig gewesen zu sein scheinen.
Gleichzeitig steht sein Name für einen Scheidepunkt, den
Millais, Rosetti, Holman Hunt und ihr Kreis als denjenigen
ansahen, von dem die Kunst in Rhetorik und Gestik

zurückfiel; ihre Gegenbewegung wurde unter der Bezeichnung Präraphaelitische Bruderschaft bekannt.

Es scheint ungerecht, den frommen und begabten Raphael für den bombastischen Stil seiner Nachfolger verantwortlich zu machen, wie es die Angehörigen der Bruderschaft taten. Nach einiger Zeit wirkten ihre eigenen Beiträge kraftlos und sogar etwas lächerlich. Holman Hunt, der den Grundsatz, »mit schlichtem Herzen« der Natur nachzueifern, allzu wörtlich nahm, schleppte eine beinahe 4 Meter hohe Palme in sein Atelier, die einen österlichen Hintergrund für seinen *Christus und die beiden Jungfrauen* bilden sollte. Das Bestreben der Bruderschaft, eine christliche Kunst zu schaffen, die der Unschuld der mittelalterlichen Fresken näherstand als der leidenschaftlichen Anmut eines Raphaels, führte sie in eine Sackgasse, aus der sie nicht mehr herausfanden.

Es ist jedoch keineswegs ketzerisch, Raphael einer unvoreingenommenen Begutachtung zu unterziehen, insbesondere die Werke, in denen eine spezifisch religiöse Aussage gemacht wird. Hier wird die metaphorische Kraft der Gestalten und Gesichter durch Überfeinerung und Raffinesse trotz aller künstlerischen Perfektion oft nahezu zunichte gemacht. Am Ende seines kurzen Lebens (er starb mit 37 Jahren) malte Raphael *Die Verklärung*, die zu den Schätzen des Vatikans zählt, in der die Gestalt Christi, bar aller Erhabenheit, ihre Wirkung allein der künstlerischen Meisterschaft des Malers verdankt.

Ein weniger bedeutender Künstler, Sebastiano del Piombo, ein Schüler von Giorgione, wurde durch dieses Werk angeregt, *Die Auferstehung des Lazarus* in ebenso bombastischen Maßstäben darzustellen. Ihm wurde kein ewiger Ruhm zuteil. Einige Teilausschnitte verdienen Bewunderung, insbesondere der Kopf Christi und die Darstellung der auferstandenen Gestalt; im übrigen scheint es auf zu vielen künstlerischen Effekten zu beruhen.

Der Renaissancegeist entdeckte den Gott in dem Menschenbildnis wieder. Christus nahm die körperlichen Merkmale der Helden des Parnaß an. Eine erwachende Bewunderung für vorchristliche Errungenschaften verlieh der Kunst dieser Zeit Dynamik und Würde. Ungeachtet ihrer unverändert tiefchristlichen Haltung umgaben die Renaissancemaler und -bildhauer von Italien, Frankreich, Holland, Deutschland und Spanien Christus mit einer neuen Aura: derjenigen eines menschlich geprägten Unsterblichen.

Correggio: *Glorreicher Christus* Devonshire Collection. 16. Jahrhundert. Chatsworth, England.

Das Problem lag vermutlich weniger in dem Fehlen solcher Qualitäten wie Aufrichtigkeit und Strenggläubigkeit, sondern der Schwierigkeit, die Faszination, die von der natürlichen Schönheit, dem Glanz und der Anmut der uns umgebenden Welt ausgeht, auf die Bilder des christlichen Glaubens zu übertragen. Die Lösung dieses Problems im Kunstwerk erwies sich sogar als schwieriger als die Vereinigung der menschlichen und göttlichen Züge in den Darstellungen von Jesus. Der Renaissancegeist, der sich an der dem Menschen und der Natur innewohnenden Lebenskraft erfreute, die voller organischer Geheimnisse steckte, war bestrebt, diese Wunder mit der christlichen Erfahrung zu indentifizieren. Die Bewältigung dieser Aufgabe war den Allergrößten vorbehalten. Michelangelo, der mit den Leistungen seines Geistes und seiner Hände heute und zu seinen Lebzeiten an das Übernatürliche zu grenzen scheint, schuf an der Decke der Sixtinischen Kapelle ein Bild von transzendentaler Schönheit, die *Schöpfung des Adam*. Der Schöpfer und der erste Mensch sind in gleicher Größe und mit dem gleichen Gesicht dargestellt. Das Geheimnis Gottes liegt in dem Umhang, der um seine Gestalt wallt, die Verletzlichkeit des menschlichen Tons in der Nacktheit Adams, der seine Hände in fast matter Anmut zum Vater ausstreckt. Es gibt keine Berührung, denn Gott ist unkenntlich, doch scheint ein göttlicher Funke von den ausgestreckten Händen überzugehen, getragen von der ewigen Verwandtschaft, die zwischen einem Vater und einem Sohn besteht. Das Gemälde stellte eine Synthese zwischen dem orthodoxen katholischen Glauben an die Schöpfung und der neuen humanistischen Vorstellung von der Unabhängigkeit des Menschen dar. Es erfüllt mit Hoffnung auf eine immerdauernde Gemeinschaft zwischen Schöpfer und Geschöpf, Körper und Geist. Es hat auch in der modernen Welt nichts von seiner ergreifenden Macht eingebüßt.

Die Renaissancekunst hat viele Werke hervorgebracht, in der die Natur und der menschliche Geist in enger, harmonischer Gemeinschaft dargestellt sind, oft mit solcher Intensität, daß darüber die religiösen Inhalte beinahe in Vergessenheit geraten. In der berühmten *Tempestà* von Giorgino, die in der Accademia von Venedig zu sehen ist, erscheint eine Mutter mit Kind, die unter anderen Umständen als die Madonna mit Jesus gegolten hätte, wäre nicht die Mutter vollständig nackt und ihr Körper nicht mit einem Ausdruck jungfräulicher Reinheit, sondern sterblicher Mütterlichkeit dargestellt gewesen. Ihr Gesicht, das mit einem Ausdruck versunkener Träumerei aus dem Bild schaut, könnte zu der Jungfrau in Giorginos Altargemälde von Castelfranco, San Liberale, gehören, wo sie erhaben in einer Landschaft thronend zu sehen ist, umgeben von zwei Engeln. In der *Tempestà* ist es die weibliche Ausstrahlung der nackten Mutter, die die Phantasie anregt, seltsam verletzlich inmitten der bedrohlichen Atmosphäre, die das Bild beherrscht.

Giorginos Darstellungen der nackten weiblichen Gestalt zeugen von einer neuen Einstellung zum menschlichen Körper, die wir in unserer Zeit als »geduldet« beschreiben würden. Nach humanistischen Begriffen war Nacktheit ein Zeichen für Unschuld. Die Schönheit des Körpers stellte die Überlegenheit des Geistes dar, ähnlich wie in den vorchristlichen Vorstellungen der Griechen. Die Renaissancekünstler übertrugen diese Grundsätze auf Kunstgegenstände, die für Weihestätten oder von reichen Mäzen als Akt der Frömmigkeit in Auftrag gegeben wurden. Für den Philosophen oder Künstler des 16. Jahrhunderts bestand kein Widerspruch zwischen Geist und Körper. So konnte selbst sexuelles Verlangen als Wille der Natur verziehen werden, statt als ungöttlich zu gelten, wodurch jenem schwelgerischen Vergnügen am Fleischlichen – gleich ob bei Mann oder Frau – der Weg gebahnt wurde und die Kunst der Renaissance von allen Schöpfungen des Mittelalters unterschieden werden kann.

Nachdem ihr wieder ihre klassische Stellung zugesprochen worden war, konnte die menschliche Gestalt erneut für Gedanken und Aussagen von prometheischen Dimensionen verwendet werden. Michelangelos gigantischer David, zu sehen in der Accademia von Florenz, ist unter diesem Aspekt ein religiöses Werk. Den meisterhaften Skulpturen der Antike nachempfunden, strahlt er eine nahezu übermenschliche Energie aus. Die schreiende Nacktheit der Gestalt, verstärkt noch durch ihre enorme Größe (sie ist ca. 4 Meter hoch) ist furchterregend: ein perfekter Körper in einem perfekten Alter, wie es ein moderner Gelehrter ausdrückt, entblößt für die Bewunderung und die Tat, »der Athlet Gottes und selbst göttlich«. Die Figur, ein biblischer Held, ist ein letztes

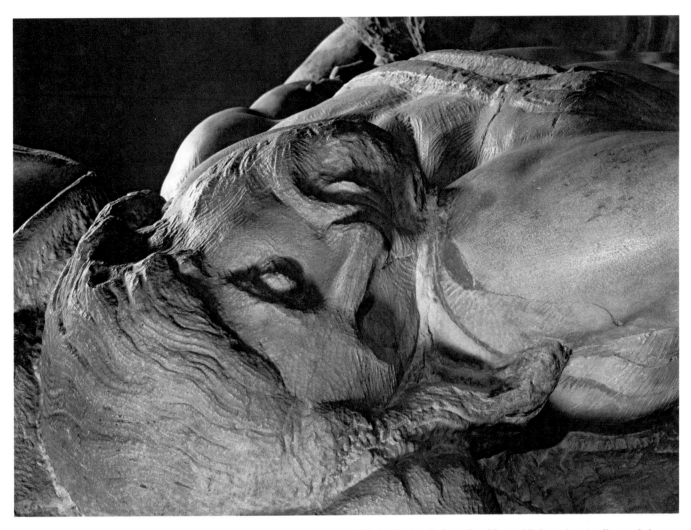

Ganz oben
Michelangelo: *Pietà*. (Ausschnitt).
Ca. 1556. Kathedrale von
Florenz.

Oben
Michelangelo: *Pietà*. Petersdom,
Rom.

Bindeglied zwischen den Unsterblichen der Antike und der christlichen Gegenwart. Eine ähnliche lebhafte Darstellung eines nackten Mannes von Michelangelo sehen wir in dem *Sterbenden Sklaven* im Louvre. Sie erinnert an frühere Bilder des sterbenden Christus, obwohl hier die matte Schönheit des Gesichtes fehlt. Wir kennen weitere Beispiele dieser Übertragung der Klassik auf die christliche Kunst. In der *Heiligen Familie* (Uffizien, Florenz) verleiht Michelangelo dem Kind den Kopf eines Helden, über dessen Stirn sich Locken kräuseln, wie in Erwartung des Lorbeerkranzes. In der Pietà im Petersdom in Rom zeigt das Haupt des liegenden Christus, das im Schoße der Jungfrau ruht, ebenso unverkennbar griechische Züge wie der elegante, unversehrte Körper. Dieses Werk erhebt sich über seine kunsterfüllten gotischen Vorläufer zu einem Ausdruck edler Schönheit.

Auch *Das Begräbnis* in der National Gallery in London, ein recht unreifes Werk, zeigt den Körper Christi – nackt mit Ausnahme eines Haltebandes unter den Achseln – gestützt von Gestalten von homerischer Kraft, prachtvoll gekleidet, darunter auch der geliebte Apostel Johannes. Maria Magdalena, die traditionell in vor Trauer gekrümmter Haltung zu Füßen des Opfers dargestellt ist, wird unter den Pinselstrichen Michelangelos zu einer wahrhaft göttlichen Erscheinung, die die Komposition beherrscht. Obwohl das Haupt des toten Christus kraftlos herabhängt, zeigt sein Gesicht einen Ausdruck der Ruhe, beinahe der Zufriedenheit. Eine so strahlend heroische Behandlung hat dieses düstere Thema wohl nur selten erfahren.

Michelangelos Glaube – er war seit seiner Kindheit ein aufrichtiger Katholik – befähigte ihn zu einer Synthese zwischen den Forderungen der orthodoxen Religionslehre und den wiederentdeckten Werten der vorchristlichen

Vergangenheit. Sein Glaube stützte die hohe
Imaginationskraft, die der Auftrag zur erneuten Ausmalung
der Sixtinischen Kapelle ihm abverlangte. So verrät dieses
Meisterwerk in keinem Detail ein Nachlassen seines Eifers
oder seiner Vorstellungskraft. Im Laufe der Zeit erlangte die
Kreuzigung für ihn eine immer tiefer werdende Bedeutung,
sowohl als Symbol einer ungerechten Vergeltung als auch als
schreckliche Mahnung an die Bedürftigkeit der Menschheit
für die rettende Liebe Gottes. Seine Sonnette, die dem
unerreichten Genie seiner späteren Jahre entsprangen, als er
in den Augen seiner Mitmenschen eine lebende Verkörperung
eines unsterblichen Geistes war, sind voll dunkler
Vorahnungen. Das Kreuz wird zum Brennpunkt eines
besessenen Verlangens nach Gande:

> Oh Fleisch, oh Blut, oh Holz, oh endloser Schmerz,
> Lass' all meine Sünden durch dich gereinigt werden,
> durch den ich entstand wie auch mein Vater.
> Du bist so gütig, dein Mitleid ist unendlich.
> Nur du kannst mich von meinem üblen Schicksal erretten:
> So nahe dem Tod, so weit entfernt von Gott befinde ich
> mich.

Er verlieh diesen Gefühlen in einer Reihe von Zeichnungen
Ausdruck, die heute Bestandteil einiger der bedeutendsten
Sammlungen der Welt sind. Bei einer von diesen, die sich im
Besitz des Britischen Museums befindet, handelt es sich um
eine Zeichnung, die von seinem Schüler Vasari sowie seinem
Biographen Asciano Condivi beschrieben wird, der mit dem
hochbetagten Michelangelo in Konversation stand. Condivi
spricht von einer Zeichnung des gekreuzigten Christus, in der
dieser nicht als Toter dargestellt sei, sondern in lebendiger
Haltung, das Gesicht zum Vater erhoben, und »Eli, Eli« zu
rufen schien. Der Körper wirke, als würde er durch das
bittere Leiden belebt, in gequälter Wachhaltung. Der Mäzen
des Künstlers, Vittoria Colonna, stellte fest, daß die
Zeichnung »in meiner Erinnerung jedes andere Bild
kreuzigte, das mir je zu Gesicht gekommen ist. Man könnte
sich kein besser gestaltetes, lebendigeres oder
vollkommeneres Bildnis vorstellen«. Eine der maßgeblichen
Kompetenzen unserer Tage, Professor Frederick Hartt an der
Universität von Virginia, bemerkt, daß der lebendige
Christus, der noch am Kreuz leidet, seit dem italo-
byzantinischen Stil des 13. Jahrhunderts in Italien nicht mehr
dargestellt wurde. »Giottos sanft herabhängender Körper des
toten Christus war ein in Italien weithin verwendetes
Modell... Die Qualen der Verdammten des Jüngsten
Gerichts, der endgültige Schmerz der Trennung von Gott,
wird hier als von Christus selbst erfahren dargestellt.«

Im Louvre ist eine Kohlezeichnung zu sehen, die der
Künstler in sehr hohem Alter anfertigte, in der die gleiche
Gestalt Christi erscheint, unter den Qualen unerträglichen
Schmerzes. Der Körper ist steif, als sei die Bewegung in
einem Augenblick des qualvollen Auf- und Abschwankens
festgehalten, in dem die Füße den hängenden Körper zu
umschließen scheinen. Die Augen sind halbgeschlossen, die
Blicke nach innen gerichtet. Michelangelos Aufmerksamkeit
für die Details dieser Tortur – was geschieht tatsächlich mit
einem Mann, der aufrecht an ein Kreuz genagelt wird – ist an
den Einzelstudien von Hals und Schultern, Lenden und Leib
unter diesen Schmerzen zu erkennen. Varianten des nackten,
hängenden Christus, unter Gewissensnöten gezeichnet, nähern
sich immer mehr einem Punkt, an dem das Gesicht verblaßt
und zerfließt mit den lebendigen Linien und Schraffuren, die
den toten, verlorenen Körper umreißen.

Der erschreckende Realismus, der den Betrachter
unmittelbar an dem Geschehen teilhaben läßt, beruht
großenteils auf der Y-Form des Kreuzes, die Michelangelo
von mittelalterlichen, rheinischen Originalen übernommen
hat. In dieser Haltung kann nichts Heroisches liegen, es

Michelangelo: *Das Begräbnis.*
National Gallery, London.

besteht keine Möglichkeit der Erhabenheit über die gezerrten
Muskeln und die tiefen, reißenden Fleischwunden. Der
Körper hängt wie in einem Schlachthaus. Dennoch ist die
Wirkung überwältigend, die tragische Metapher wird durch
geistige Anmut erhöht. Letzten Endes wird die körperliche
Schönheit dem Entfliehen der Seele geopfert. In der letzten
Pietà ist der Körper bar jeder Würde, wie wir sie aus der
Antike kennen. In der Kathedrale von Florenz sehen wir ihn
als kraftlose Masse aus Fleisch und Knochen. Im Castello von
Mailand ist er bis auf einen Kern reduziert, der dem Stein
entspringt. Dies ist Michelangelos letztes Werk, das er sechs
Tage vor seinem Tod vollendete. Seine allerletzten Verse
zeugen von der gleichen trostlosen Unterwerfung, dem
gleichen tiefen Pathos:

   Lieb ist mir der Schlaf, lieber noch aus Stein zu sein.
   Schmerz und tiefe Schuld währen hier unten noch immer,
   Blindheit und Taubheit – nur sie sind mir wert;
   Erwecke mich nicht, lass' deine Stimme verstummen.

Heroische Dimensionen

Der Konflikt zwischen Körper und Geist, die beide den gleichen irdischen Rahmen ausfüllen, wurde zum beherrschenden Thema von Michelangelos mächtigem, erschütterndem Werk. Bei seinem Zeitgenossen Leonardo da Vinci, der über den gleichen Intellekt, nicht jedoch über die gleiche dämonische Kraft verfügt, scheint der christliche Gedanke zeitweilig in den Hintergrund zu treten, während sein unerschöpflich suchender Geist jene Feinheiten des Raums, der Bewegung, Komposition und Aussage schafft, die seinem Werk eine solche Anziehungskraft verleihen. Er teilte nicht Michelangelos Bewunderung für die Klassik und erkannte in dem nackten männlichen Körper keine ästhetischen Qualitäten, die über den körperlichen Bewegungsmechanismus hinausgingen. Andererseits gelang es ihm jedoch nicht, einen groben oder rein mechanischen Strich zu ziehen. Leonardos Madonnen besitzen eine von weiblich hübschen Zügen unabhängige Lieblichkeit, die diese Werke zu den größten der religiösen Kunst macht. Wir wissen, daß ihm der weibliche Körper nicht sinnlicher oder anziehender erschien als Michelangelo; diese Einstellung ermöglichte ihm jedoch eine psychologische Darstellung des Femininen, durch die sich Werke wie der berühmte *Entwurf für die Madonna und Hl. Anna* in der National Gallery in London und seine beiden Darstellungen der *Jungfrau auf dem Felsen* deutlich hervortun. In jedem der beiden letzteren Werke sehen wir ein pausbäckiges Kind, das an der unteren rechten Ecke einer Dreiecksgruppe kauert und mit dem Zeichen des Segens die Ehrerbietung eines kindlichen Johannes entgegennimmt. Jedoch sind es die Gesichter der Frauen, die die Blicke auf sich lenken, die in ihrer heiteren Wachheit der gesamten Komposition die Harmonie eines musikalischen Akkords verleihen. Leonardos wenige Darstellungen des Gesichts Christi sind weniger stilisiert als sein Bild des heiligen Mannes mit Engeln. In der Werkstatt seines ersten und einzigen Lehrers, Andrea Verrocchio, wurde er mit der Darstellung des Engels beauftragt, der in der unteren linken Ecke der *Taufe Christi* dieses Meisters kniet. Das jungenhafte Gesicht ist in ein himmlisches Licht getaucht, das von einer schwebenden Taube auf Kopf und Körper Christi herunterstrahlt. Verrocchio verleiht seinem Christus ein interessantes, belebtes Gesicht und einen kraftvollen Körper, der keine eindeutig klassischen Ursprünge verrät. Bis zu seinem Lebensende zeigte Leonardo eine Vorliebe für die Jungfrau. Eine noch erhaltene Pastellstudie des Hauptes Christi für das *Letzte Abendmahl*, das er im Auftrag des Klosters Santa Maria delle Grazie in Mailand schuf, vermittelt jedoch einen Eindruck von der Originaldarstellung in diesem berühmten, leider zerstörten Meisterwerk. Vasari berichtet, wie Leonardo sich über die noch auszuführende Darstellung zweier Köpfe äußerte: denjenigen von Christus, »für den er nicht nach irdischen Vorlagen suchte und von dem er nicht hoffen konnte, daß seiner Vorstellungskraft eine solche Schönheit und himmlische Anmut entspringen würde, um dieser Inkarnation des Göttlichen gerecht zu werden...«; der zweite Kopf war derjenige Judas. Er sah keine große Schwierigkeit darin, ein Vorbild für letzteren zu finden, »eine so verdorbene Seele, daß er beschloß, seinen Herrn und Schöpfer der Welt zu verraten«. Für das Ebenbild Christi verließ er sich auf seine Imagination. Es erscheint als junges, empfindsames Gesicht von einer melancholischen, jüdischen Schönheit.

Leonardos Begabung fürs Porträtieren, die er nicht oft in Anspruch nahm, ist unverkennbar. *Mona Lisa* und *Cecilia Gallerami*, eine Mätresse Lodovico Sforzas, gehören zu seinen unvergeßlichen Frauendarstellungen. Sie vermitteln den Eindruck eines tief in sich versunkenen Geistes, jener intellektuellen Qualität, mit deren Hilfe Leonardo die Sinnlichkeit überwand. Möglicherweise ist das mangelnde

Leonardo da Vinci: *Skizze für Die Jungfrau und Kind mit der Hl. Anna und dem Hl. Johannes.* (Ausschnitt). National Gallery, London.

Interesse der Maler dieser Zeit an Darstellungen von Christus auf die Verpflichtung zurückzuführen, lebende Gestalten zu malen: wenn genügend menschliche Vorbilder zur Verfügung stehen, sieht sich der Maler weniger als in früheren Zeiten von der anspruchsvollen – und oft enttäuschenden – Aufgabe herausgefordert, das göttliche Gesicht in Leinwand umzusetzen. Aus der Sicht unseres modernen Zeitalters, in dem die äußere Erscheinung von Männern und Frauen unsere Aufmerksamkeit so stark in Anspruch nimmt, daß wir ihre inneren Qualitäten vergessen, ist es kaum vorstellbar, daß das Bedürfnis des Porträtierens eine relativ junge Entwicklung der Kunst ist. Bis zur Renaissance galten nur die legendären, göttlichen und allergrößten Weltkinder als würdige Gegenstände eines Porträts. Die neuen humanistischen Gedanken bewirkten eine vollständige Veränderung. Giorgione und seine Nachfolger malten Männer und Frauen, deren Aussehen in den Worten von Bernhard Berenson »uns an vertraute Freunde denken läßt, Menschen, deren Züge angenehm gerundet sind, deren Kleidung griffig weich erscheint und deren Umgebung an liebliche Landschaften und erfrischende Brisen erinnert.« Die Kunst des Porträtierens wurde in Venedig ins Leben gerufen und verbreitete sich von dort über ganz Italien und anschließend über das Europa nördlich der Alpen. Sie entwickelte sich zu einer alternativen Kunstform, so eigenständig wie Aktdarstellungen oder die späteren Landschaftsmalereien.

Der Geist der Renaissancemaler war bevölkert von den religiösen Bildern die ihnen seit dem Mittelalter übermittelt worden waren, Bilder von Heiligen und Märtyrern, der Madonna mit dem Kind, von Christus dem Wunderwirker und Christus dem Opferlamm. Die klassische Kunst verhalf ihnen zu einer vertieften Darstellung der Person Christi, die allein auf einer physischen und nicht einer moralisch verwurzelten Meisterschaft beruhte. Bei Michelangelo kommt die Schönheit von Körper und Gesicht Christi im *Jüngsten Gericht* in der Sixtinischen Kapelle einer klassischen Synthese nahe. Die Urvorstellungen des frühchristlichen Glaubens erwiesen sich jedoch als zu stark, um selbst von Michelangelos Visionen verdrängt zu werden. In seiner Darstellung von *Christus und das Zinsgeld* in Dresden beschwört Tizian byzantinische Bildnisse herauf. Das königlich verfeinerte Gesicht, das in deutlichem Widerspruch zu denjenigen seiner Befrager steht, verrät eine Ähnlichkeit mit traditionelleren Zügen: Haar und Bart, die schöne Stirn, der erhabene Blick sind uns von den frühen Mosaiken her vertraut. Verständlicherweise haben Künstler die

Michelangelo: *Das Jüngste
Gericht* (Ausschnitt). Ca. 1510.
Sixtinische Kapelle, Rom.

überzeugendsten Ebenbilder Christi in Darstellungen
geschaffen, die den wirkenden Christus in dem irdischen
Glanz seiner menschlichen Begleitung zeigen. Tizian stellt
hier keine Ausnahme dar. Mit seiner energischen
Handhabung der Realität und der sarkastischen Darstellung
der Eitelkeit menschlichen Strebens ist sein Werk in vielerlei
Hinsicht der vollkommenste Ausdruck seiner Zeit.

In Tintorettos *Christus beim Waschen der Füße seiner
Jünger* in der National Gallery in London gesellt sich zu der
kraftvollen Farbgestaltung eines Tizian ein Entwurf, der eines
Michelangelo würdig gewesen wäre. Auch hier spricht aus
dem Gesicht eine Autorität, die die Verdichtung einer langen
Reihe von Vorläufern zu sein scheint. In diesem Maler
erkennen wir etwas von Michelangelos Terribilità und auch
seinen energischen Willen, eine ehrgeizige Aufgabe zu
erfüllen: den Gemäldezyklus in der Scuola di S. Rocco, der
ihn 23 Jahre in Anspruch nahm. Sein Höhepunkt, *Die
Himmelfahrt,* zeigt einen glorreichen Christus, dargestellt mit
der Leidenschaft eines niemals wankenden Glaubens. Vor
dieser Apotheose steht jedoch die Qual der Kreuzigung. Hier
verfährt Tintoretto wie ein Berichterstatter oder ein
Kameramann, der mit den Augen des objektiven Betrachters
ans Werk geht. Das Werk ist reich an dokumentarischen
Details, wie sie sonst in der Renaissancekunst unbekannt
sind. Auf dem Boden sehen wir einen der beiden Diebe, der

auf dem noch nicht aufgerichteten Kreuz in die Kreuzigungsposition gebracht wird, auf seinen Ellbogen gelehnt, während die Füße am Kreuz befestigt werden. Sein Begleiter, bereits festgenagelt, wird von einer Gruppe von Männern aufgerichtet. An dem Kreuz Christi lehnt noch eine Leiter. Ein überirdischer Schimmer erhellt diese weltliche Szene: ein halbmondförmiger Lichtschein, der vom Körper des Erlösers ausgeht, verhüllt die oberen Abschnitte des Kreuzes. Der Betrachter muß sich seinen eigenen Weg zu diesem Höhepunkt suchen, indem er das Gesicht aus dem Tumult, den Körper aus dem Schmerz isoliert. Die Handlung hat gerade begonnen; das Ereignis steht noch bevor.

Ein Londoner Wandgemälde von Andrea dal Castagno, der viel von Masaccios kontrollierter Darstellungskraft geerbt hat, zeigt den Erlöser fast in der gleichen Haltung, von den beiden Dieben eingerahmt. Die Stimmung und Komposition stammen jedoch aus einer anderen Welt, von der ersteren um 100 Jahre entfernt. In Castagnos Version stehen die drei Kreuze allein in einer schweigenden Landschaft, die nur von zwei Trauernden belebt wird. Hier entsteht ein völlig anderes Bild als in Tintorettos übervölkerter Szene einer alltäglichen Vollstreckung. Dreihundert Jahre später malte Eugène Delacroix auf dem Höhepunkt der romanischen Revolution einen *Gekreuzigten Christus zwischen Dieben,* der heute im städtischen Museum von Vannes zu sehen ist, wo die Handlung nur wenige Minuten nachdem Tintoretto die Szene verlassen hat aufgegriffen zu werden scheint. Es gibt nur wenige Gemälde, die den Geist von einem Zeitpunkt ausgehend zurück und nach vorne blicken lassen. Tintorettos *Kreuzigung* ist ein solches Beispiel.

Einige deutsche Künstler kamen der geistigen Größe der großen Italiener sehr nahe. In einer weniger berauschenden Atmosphäre zu Hause als sie in den Renaissancehöfen herrschte, schufen sie religiöse Werke, die von einer anderen Religion geprägt waren. Wenn in dem religiösen Eifer, der Europa ergreifen sollte, ein anderes Bild von Gott und seiner Werke entstehen mußte, konnte dies nur im Norden geschehen. Dort glühte der christliche Eifer mit beständigerer Flamme, gegen südliche Einflüsse durch Mentalität und geographische Gegebenheiten abgeschirmt. Nie wäre Hans Baldung in Venedig zu Ruhm gelangt, oder Grünewald unter

Tizian: *Christus und das Zinsgeld.* 1568. Staatliche Kunstsammlungen, Dresden.

Jacopo Tintoretto: *Die Himmelfahrt* (Ausschnitt). 1670. St. Rochus, Venedig.

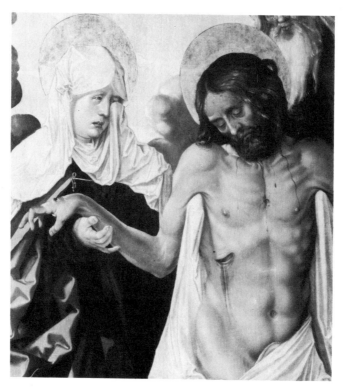

der Schutzherrschaft der Päpste. Am nächsten kommen ihnen die van Eycks, deren künstlerische und technische Perfektionen zu einem der Wunder der Kunstgeschichte zählt: mit Recht wurde von ihnen behauptet, daß sie ein unfehlbares Auge besaßen, das sie unabhängig von allen Lehren machte. Diese Qualität finden wir bei den deutschen Künstlern des 16. Jahrhunderts wieder. Grünewalds berühmte Interpretation von Christus in Gestalt des gequälten Körpers ist von beinahe halluzinatorischer Kraft. In Baldungs *Totem Christus* wird die physische Realität mit einem orientalischen Sinn für das Mystische gepaart. Das Gesicht, obwohl es dem traditionellen Bildnis entspricht, stellt einen individuellen Menschen dar, eigenständig in Charakter und Erscheinung.

Es ist Dürer, der das Bindeglied zwischen der italienischen Renaissance und Nordeuropa darstellt. Sein erster Besuch in Venedig schien ihn künstlerisch nicht tief beeindruckt zu haben. 1505 und 1506 war er jedoch aufnahmebereit für den Geist der Renaissance und ließ ihn in seine gotische Tradition und die lineare Kunst seiner Holzschnitte einfließen. Jedoch entsprach die Religiosität Roms letzten Endes nicht seiner intellektuellen Ausrichtung. Er wandte sich den Lehren Martin Luthers zu, die den Evangelien eine größere Bedeutung als Quelle der christlichen Wahrheit zumaßen als dem römischen Papst. Diese Umkehr, die ihn in eine seelische Krise stürzte, mag ihn daran gehindert haben, in seinem späteren Leben religiöse Themen zu behandeln. Der Kleine und Große Leidensweg sind Ausdruck seiner eigenen Glaubensüberzeugungen. Das Gesicht Christi, von göttlichem Licht erhellt, trägt den tief gefurchten Ausdruck eines denkenden und leidenden Mannes.

In einer der bemerkenswertesten Christusdarstellungen Dürers, einem Stich aus dem Jahre 1513, der das von zwei Engeln gehaltene Tuch der Veronika darstellt, könnte das Gesicht, das uns mit so durchdringender Besorgnis ansieht, Dürers eigenes sein.

Der Fall der Engel

Wenigstens ein italienischer Künstler scheint den Unterschied erkannt zu haben, der zwischen den religiösen Darstellungen ihrer Tradition und derjenigen ihrer Konkurrenten im nördlichen Europa bestand. Michelangelo spricht von der »pathetischen« Eigenschaft vieler dieser Werke und äußert den Gedanken, daß die flämische Malerei »allgemein jede gläubige Person mehr befriedigt als die italienische Gemäldekunst, die keinem auch nur eine einzige Träne abringt«. Dies sei jedoch nicht auf die »Kraft und Vollkommenheit« der Gemälde zurückzuführen, sondern auf die Frömmigkeit des Betrachters. Werke dieser Art würden Frauen erfreuen, oder auch »Mönche und Nonnen und Adlige, die keinen Sinn für wirkliche Harmonie haben.«

Dem großen Mann sei diese Verallgemeinerung nachgesehen. Viele Gemälde seiner Zeitgenossen außerhalb Italiens können ihm nicht zu Gesicht gekommen sein, denn der große Reisestrom führte von Norden nach Süden. Diese Bemerkung macht jedoch auf die unterschiedliche Religiosität der Italiener, deren künstlerischer Sinn verfeinerter war, und

Die flämischen religiösen Maler befriedigten eher die Wünsche eines frommen Gläubigen als die italienischen, meinte Michelangelo, »die ihm nie eine einzige Träne entlocken würden«. In Nordeuropa blieb der leidende Christus das zentrale Thema, das mit Bildern ausgeschmückt wurde, durch die wir bis heute die nördliche Vorstellungswelt von der südlichen unterscheiden können. Rembrandt ist der Meister, der Gesicht und Gestalt Christi eine schlichte, gewöhnliche Menschlichkeit verlieh, die wir in unserer Zeit als ebenso selbstverständlich hinnehmen, wie sie in seiner Zeit ungewöhnlich war.

Fra Angelico: *Segnender Christus.* 15. Jahrhundert. Mit der freundlichen Genehmigung Ihrer Majestät Elisabeth II. reproduziert.

Giovanni Bellini: *Das Segnen Christi.* 1450 – 60. Louvre, Paris.

Sandro Botticelli: *Pietà* (Ausschnitt). Ca. 1490. Alte Pinakothek, München.

120

Rembrandt: *Christus am Kreuz* (Ausschnitt). 1633. Kirche von Le Mas-d'Agenais, Frankreich.

Guido Reni (Reproduktion): *Dornengekröntes Haupt Christi.* National Gallery, London.

121

Rembrandt: *Das Abendmahl zu Emmaus* (Ausschnitt). Ca. 1629. Louvre, Paris.

Gegenüber:
Hieronymus Bosch: *Die Dornenkrönung.* Ca. 1510. National Gallery, London.

Sodoma: *Dornengekröntes Haupt Christi.* 16. Jahrhundert. National Gallery, London.

derjenigen der Nordeuropäer aufmerksam, deren Gottesverehrung von strenger Bibelgläubigkeit geprägt war. Michelangelos Bemerkung über Menschen, die »kein Auge für wahre Harmonie haben«, können wir entnehmen, wie weit sich die Kunstkenntnis in der Hochrenaissance entwickelt hatte. Hier wird eine Unterscheidung gemacht, die die Errungenschaften der italienischen Künstler von denjenigen aller anderen europäischen Schulen trennt.

Im Norden blieb das Leiden Christi das beherrschende Thema. Im Süden führten die Begeisterung für die klassische Harmonie und ästhetische Werte, die die durch die Befreiung von Geist und Phantasie Bedeutung erlangten, zu einer Erweiterung des Themenkreises. Im Norden wurden die Extravaganzen des päpstlichen Hofes mit Argwohn oder Mißbilligung verfolgt. Im Süden führten sie zu einem fürstlichen Mäzenentum und der Entstehung von Werken, die die orthodoxen Überzeugungen der religiösen Kunst herausforderte.

Die Ansicht Vasaris war typisch für diese Zeit: Perfektion in der Malerei, meinte er, könnte gleichgesetzt werden mit Erfindungsreichtum, Vertrautheit mit der Anatomie und der Fähigkeit, das Schwere leicht erscheinen zu lassen. Dies waren jedoch nicht die Attribute, die die Führer der Gegenreformation, besonders die Jesuiten, für sich in Anspruch nehmen wollten, die behaupteten, daß sich an der Aufgabe der Kunst nichts geändert habe, nämlich die Lehren der Evangelien zu veranschaulichen und den Menschen den wahren Glauben zu bringen. Unter diesem Druck entstand eine Art Zensur, die darüber wachte, daß die Kunst sich im Rahmen der herkömmlichen Lehren der Kirche bewegte. Es wurde eine Schule zur Ausbildung katholischer Maler gegründet, die Akademie des Hl. Lukas, in der nach den strengsten Prinzipien gelehrt wurde. Und einige von Michelangelos Skulpturen in der Sixtinischen Kapelle wurden mit Feigenblättern versehen.

Die Schüler der Akademie des Hl. Lukas sind heute vergessen. Die mystische Kraft des jesuitischen Ideals fand jedoch ihren Niederschlag in Gemälden von El Greco, in denen die byzantinische Tradition des gebürtigen Kreten dramatisch heraufbeschworen wird. El Greco paarte Glaubenseifer mit einer glühenden Emotionalität, die ihn unter den Künstlern aller Zeiten herausragen läßt. Seine Christusdarstellungen, die auf den byzantinischen Prototyp zurückgehen, verleihen ihm eine seelenvolle Adeligkeit. Er bewohnt eine Welt sich windender flammenähnlicher

Hieronymus Bosch: *Die
Dornenkrönung* (Ausschnitt).
Prado, Madrid.

Schöpfer der Brügger
Passionsszenen: *Christus wird
dem Volk vorgeführt.* Linker
Flügel eines Altargemäldes.
Frühes 16. Jahrhundert. National
Gallery, London.

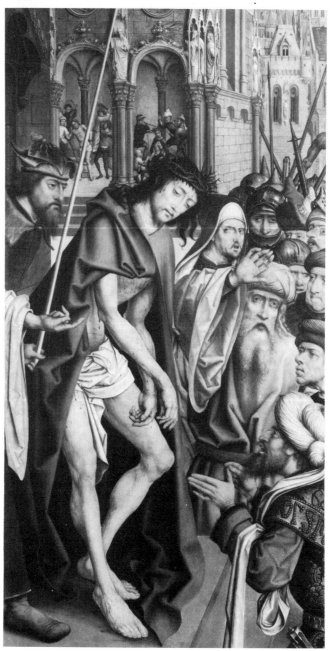

Bartolomeo Montagna: *Ecce Homo*. Frühes 16. Jahrhundert. Louvre Paris.

Gestalten, eine schwebende Erscheinung ohne einen Anflug des Irdischen. Nach der göttlichen Körperlichkeit des Renaissancechristus erscheint El Grecos Auffassung wie eine Vision oder ein Traum, eine verinnerlichte Inkarnation. Sie ist die glaubwürdigere, da sie einem vertrauteren Bildnis von Christus dem Leidenden entspricht, dem länglichen Gesicht mit wäßrigen Augen, den rhytmischen Gesten, die in der Romanik wurzeln.

El Greco, Beispiel einer neuen Ausdrucksform zur Darstellung religiöser Erfahrungen, wurde nicht von anderen Malern befolgt. Möglicherweise kennzeichnete sie ein Extrem, das einen Endpunkt darstellte, ebenso wie die Kunst Michelangelos keine Möglichkeiten der Weiterentwicklung bot, es sei denn durch Nachahmung oder Parodie. Auch Grünewald im Norden hinterließ keine Nachfolger: der Endgültigkeit seiner Aussage war nichts mehr hinzuzufügen. Durch die Reformation wurde Europa geteilt. Ungeachtet ihrer Vorteile im Hinblick auf den politischen Fortschritt fügte sie der europäischen Kultur einen nicht wieder gut zu machenden Schaden zu. An katholischen und protestantischen Stätten der Gottesverehrung spielt die Kunst weiterhin die ihr zugedachte Rolle. Einige wenige erfindungsreiche Geister lockerten die standardisierten Christusbildnisse durch persönliche Auffassungen auf. Eine heroische Tradition war jedoch in einen Manierismus verfallen, der sich mit Selbstgefälligkeit an seiner Virtuosität erfreute. Diesem Stil entsprang das Barock, das viele der schönsten Kirchen Europas ziert und belebt und gegen Ende des 17. Jahrhunderts Rubens, dem meisterhaften Farbgestalter, einen höheren künstlerischen Rang zumißt als Raphael.

In Spanien befolgte Velazquez, der naturalistische Meister des spanischen Barocks, die Tradition der sogenannten »Ästhetik des individuellen Heils«. Als Hofmaler war Velazquez nicht verpflichtet, sich ausschließlich religiösen Werken zu widmen, und die wenigen, die bekannt geworden

125

Grünewald: *Die Verspottung Christi* (Ausschnitt). Frühes 16. Jahrhundert. Alte Pinakothek, München.

Pieter Bruegel: *Die Prozession nach Golgatha* (Ausschnitt). 1564. Kunsthistorisches Museum, Wien. (Anmerkung: möglicherweise auch *Leidensweg*, hier fehlt wieder das Bild.)

Jan van Scorel: *Christus erscheint Maria Magdalena* (Ausschnitt). Ca. 1550. Stadtmuseum und Kunstgalerie, Birmingham.

Tizian: *»Noli Me Tangere«* (Ausschnitt). National Gallery, London.

Gerard David: *Unser Herr beim Abschied von seiner Mutter.* Ca. 1500. National Gallery of Ireland, Dublin.

sind, gehören keinswegs zu seinen bedeutendsten. In seinen Gemälden sehen wir die dynamische Verwirklichung einer authentischen Person, bei der auf Schmeichelei oder Täuschung verzichtet wurde. Das Werk *Christus nach der Auspeitschung* in der National Gallery in London hat bei all seinem italienischen Pathos eine solche Ausstrahlung. Es zeigt den geschundenen Körper, edel auch in der Erniedrigung, bewacht von einem Schutzengel und einem Kind, das die christliche Seele darstellt.

Velazquez hatte in Spanien die gleiche Stellung inne wie Rubens in Holland: beide waren Höflinge und Maler und erfreuten sich einer privilegierten Behandlung. Bei Rubens und anderen Meistern, die dreidimensional arbeiteten, liegt der Schwerpunkt nicht auf dem Charakter, sondern der Form. Seine *Kreuzabnahme*, die einen Teil des Altargemäldes der Kathedrale von Antwerpen darstellt, zeigt den Körper als organischen Entwurf. Der Zug der Schwerkraft ist an den fallenden Linien und Winkeln zu erkennen, wobei diejenigen in der Mitte die Last des eigenen Gewichts des toten Körpers darstellen. Den gleichen Aufbau verwendet Rubens in seiner

Abnahme vom Kreuz, Courtauld Collection, London. Es zeigt eine Verwandtschaft mit Vasaris Prinzipien, jedoch eine Auffassung, die den Beifall der Religionstheoretiker finden würde. In solchen Werken können wir die Quellen von Rubens Inspiration erkennen, wenn auch nicht auf den ersten Blick, denn sie zerfließen vollständig in seinen Pinselstrichen und der energischen Farbgebung. Der Gesichtsausdruck spielt eine sekundäre Rolle bei Rubens Konzeptionen. Sein Anliegen ist die Integration und Ausstrahlung des Ganzen.

Das 17. Jahrhundert wird im allgemeinen als das Zeitalter der großen Macht politischer und religiöser Obrigkeiten angesehen. Es war die Zeit, in der Könige göttliche Rechte für sich in Anspruch nahmen und die Autorität der Kirche in weltlichen und religiösen Angelegenheiten erneut bestärkt wurde.

Die Kirchenfürsten wurden zu den einflußreichsten Männern ihrer Zeit, zu dienenden Monarchen, die die Welt mit unumstrittener Macht beherrschten. Unter diesen

Juan de Flandes: *Die Versuchung Christi in der Wildnis.* (Ausschnitt). Frühes 16. Jahrhundert. Privatsammlung.

Gegenüber
Rembrandt: *Haupt Christi.*
Metropolitan Museum of Art,
New York.

Rechts
Hans Holbein der Jüngere: *Noli
Me Tangere* (Ausschnitt). Ca.
1520. Mit der freundlichen
Genehmigung Ihrer Majestät
Elisabeth II. reproduziert.

Unten
Sebastiano del Piombo: *Die
Erweckung des Lazarus*
(Ausschnitt). Frühes 16.
Jahrhundert. National Gallery,
London.

Oben
Rembrandt: *Christus und die Frau
von Samaria* (Ausschnitt).
Radierung. British Museum,
London.

Rechts
Sir Anthony Van Dyck: *Christus
heilt den Gelähmten* (Ausschnitt).
Mit der freundlichen
Genehmigung Ihrer Majestät
Elisabeth II. reproduziert.

Im 17. Jahrhundert, das allgemein als das Zeitalter der Obrigkeit angesehen wird, wurde die Kunst zu einem Mittel, den menschlichen Geist durch Emotionen gefangenzunehmen. Das Märtyrertum der Heiligen und die großen Themen der Passion wurden mit einer emotionalen Intensität dargestellt, deren Ziel es war, die Seele zu durchdringen. Im Übergangsstadium verraten die Züge Christi sowohl den Glauben an den christlichen Triumph als auch das Heraufdämmern persönlicher Vorstellungen.

Guercino: *Die Auspeitschung.* 17. Jahrhundert. Ashmolean Museum, Oxford.

Sir Anthony Van Dyck:
Verspotteter Christus, Ashmolean
Museum, Oxford.

El Creco: *Die Dreieinigkeit*
(Ausschnitt). Ca. 1577. Prado,
Madrid.

Juan Montinez Montanez: *Der
gnadenreiche Christus.*
Mehrfarbige Holzschnitzerei.
1603. Kathedrale von Sevilla,
Spanien.

133

Umständen war es unvermeidbar, daß auch die Kunst in den Sog der Macht gezogen wurde. Die Auswirkungen des Konzils von Trient, das Regeln für religiöse Bilder aufgestellt hatte und heretische oder unziemliche Darstellungen verbot, wurden überall spürbar. Die religiöse Kunst wurde zu einem Instrument, das den menschlichen Geist durch Emotionen gefangennahm. Das Märtyrertum der Heiligen und die großen Themen der Passion wurden mit einer emotionalen Intensität dargestellt, deren Ziel es war, die »Mentalität der Seele« zu durchdringen.

Ungeachtet ihrer Propagandafunktion brachte diese Kunst religiöse Bilder von bemerkenswerter Qualität hervor. In den Christusdarstellungen von Guercino, dem Bologneser Meister, begegnen wir einer bereinigenden Ernsthaftigkeit. Seinen Gemälden und Zeichnungen mit religiöser Thematik wird heute erneut eine vorbehaltlose Bewunderung zuteil. Sein immens erfolgreicher Zeitgenosse, Guido Reni, verrät eine klassische Auffassung, die in der beinahe schmerzhaft ausdrucksvollen Behandlung seiner religiösen Werke, die ihn berühmt werden ließen, nicht immer zu spüren ist. Auf dem Gebiet der Bildhauerei führte Bernini die Barockkunst zu einem Höhepunkt, bevor er sich der Architektur und der allumfassenden Aufgabe der Verwirklichung seiner Kirche S. Andrea al Quirinale in Rom zuwandte. Seit der großen Zeit der gotischen Kathedralen war eine solche Fülle, Farbenpracht und Vielfältigkeit nicht mehr an christlichen Weihestätten entfaltet worden.

Die treibende Kraft, die sich hinter diesen Werken verbarg, war der didaktische Idealismus des katholischen Glaubens. Anderenorts in Europa traten neben diese

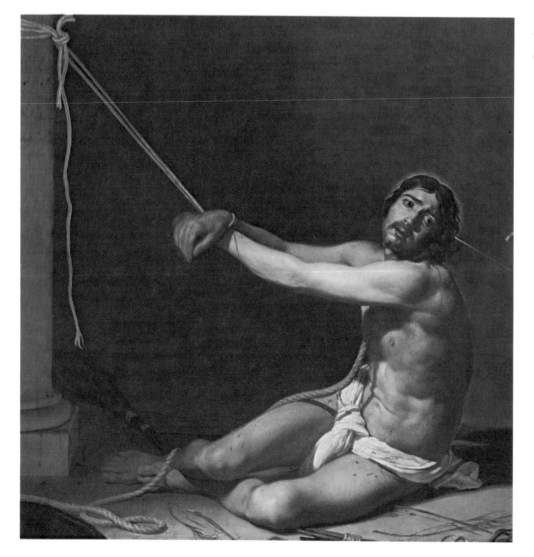

Diego Velazquez: *Christus nach der Auspeitschung.*
17. Jahrhundert. National Gallery, London.

Annibale Carraci: *Christus erscheint dem Hl. Petrus* (Ausschnitt). Spätes 16. Jahrhundert. National Gallery, London.

El Creco: *Christus bei der Vertreibung der Händler aus dem Tempel* (Ausschnitt). Ca. 1575. Institute of Art, Minneapolis.

Glaubensüberzeugungen weniger demonstrative religiöse Werte, insbesondere in den Niederlanden. Rembrandt, der nach den Grundsätzen der Bibel erzogen worden war, konnte sich von dem doktrinären Zwang seiner Zeit befreien und ging seinen eigenen Weg. Er löste sich von den Geschichten des wunderwirkenden Jesus – seiner ersten Rolle in der christlichen Kunst – und kam zu einer eigenen Christusverwirklichung als Mitmensch. In Rembrandts Darstellung der Passion suchen wir vergeblich nach rhetorischer oder theatralischer Grandezza. Der Künstler führt uns schlicht als ergriffene Beobachter an die Szene heran. Was die Kraft seiner Imagination anbelangt, so können nur die späten Zeichnungen von Michelangelo einem Vergleich mit dem unbestechlichen Realismus Rembrandts standhalten. Indem er das menschliche Leben unmittelbar mit der göttlichen Tragödie gleichsetzt, erhebt er sie zu einer Erfahrung, die wir alle teilen.

Mit dem Schwinden von Autorität und Macht ließ auch der religiöse Eifer nach. Die Grausamkeiten, die Christen sich gegenseitig im Namen Gottes antaten, erschöpften den Vorrat an Frömmigkeit, der sich seit den Zeiten vor der Reformation angesammelt hatte. Mit dem 18. Jahrhundert begann eine allmähliche Banalisierung der religiösen Kunst. Sie wurde zu reiner Dekoration, ihr emotionaler Inhalt süßlich. Einige wenige Maler, die den großen religiösen Darstellungen der Vergangenheit nacheifern wollten, machten sich mehr mit Brillanz als mit Überzeugung ans Werk. Der Venezianer Tiepolo schuf äußere Formen der religiösen Kunst, ohne ihnen durch innere Überzeugung eine Berechtigung zu verleihen. Einige große Altargemälde, darunter ein *Letztes Abendmahl* (Louvre), sind virtuose Schöpfungen in einer ernsten Angelegenheit. Goya, mit seinem höheren Anspruch auf Leben mit den Unsterblichen, war erfolgreicher in seiner *Gefangennahme Christi* in der Kathedrale von Toledo, in der die groben Gesichter der Bande, die sich bei Nacht an Christus heranschleicht, im Widerspruch zu der ergebenen Würde des festgenommenen Mannes stehen. Sein ausdrucksstärkstes religiöses Gemälde ist eine kleine

Oben links
Peter Paul Rubens: *Christus im Haus von Martha und Maria* (Ausschnitt). National Gallery of Ireland, Dublin.

Ganz oben
Guercino: *Die Ehebrecherin* (Ausschnitt). Dulwich College Picture Gallery, England.

Oben
Gerrit van Honthorst: *Christus vor dem Hohepriester* (Ausschnitt). Ca. 1617. National Gallery, London.

Rechts
Nicolas Maes: *Christus segnet Kinder* (Ausschnitt). 17. Jahrhundert. National Gallery, London.

Oben
Guercino: *Der ungläubige Thomas* (Ausschnitt). 1621.
National Gallery, London.

Rechts
Michelangelo da Caravaggio: *Das Abendmahl zu Emmaus* (Ausschnitt). Ca. 1600. National Gallery, London.

Ganz oben
Francisco Goya: *Die Gefangennahme Christi* (Ausschnitt). 1798. Kathedrale von Toledo, Spanien.

Oben
William Blake: *Segnender Christus*. Ca. 1810. Fogg Art Museum, Cambridge, Massachusetts.

Darstellung von *Christus im Olivenhain*, ein Geschenk an die Väter der Escuelas Pias de San Antón, in der ein weiß gekleideter Christus mit ausgestreckten Armen kniet.

In England wurde der religiöse Glaube durch die Person William Blakes in eine poetische und intellektuelle Richtung gedrängt; die visionäre Kunst des letzteren beeinflußt noch heute die englische Imagination. Blake war ein Nonkonformist, der seine Überzeugungen nicht alleine aus der Bibel gewonnen hatte. Seine sehr persönlichen Interpretationen religiöser Texte sind Metaphern von oft poetischer Intensität, die seiner eigenen Mythologie entspringen. Nach Blake sind wir in der Ewigkeit »alle koexistent mit Gott – Bestandteil des göttlichen Ganzen – Teilhaber am göttlichen Wesen«. Für ihn war Christus der einzige Gott. Das Gesicht Christi, wie Blake es sah, ist in typischer Weise ätherisch und jugendlich, wenn es sich nicht um biblische Darstellungen wie die Kreuzigung handelte, wo er sich an die konventionellen Bilder hielt. Ein *Segnender Christus* (Fogg Art Museum, Cambridge, Massachusetts) zeigt ein rundes, levantinisches Gesicht mit jugendlich geteiltem Bart, aus den Augen spricht ein magnetischer und irgendwie auch mitleidiger Blick. Der Christus Blakes, den er der Allmächtigkeit vorzog, mag besonders sympathisch erscheinen. »Wenn man wie ich glaubt«, schrieb er in seiner Vision des Jüngsten Gerichts, »daß der Schöpfer dieser Welt ein sehr grausames Wesen sein muß, und ein Verehrer von Christus ist, muß man ausrufen: der Sohn, wie unähnlich dem Vater! Zuerst erscheint Gott der Allmächtige, um uns zu strafen, dann erscheint Jesus mit Balsam, um die Wunden zu heilen.«

Rationalistische Gedanken hegten jedoch nicht nur diejenigen, die wie Blake zu einem persönlichen Arrangement mit der orthodoxen christlichen Glaubenslehre gekommen waren. Der Rationalismus breitete sich in Frankreich aus, wo Voltaire eine Hetzkampagne gegen einen »absurden und blutdürstigen Glauben« – so seine Beschreibung des Christentums – führte, »der sich durch Exekutionen und

Gegenüber
Georges Rouault: *La Sainte Face*.
1920. Musée de L'Art Moderne,
Paris.

*Neben der Frage »Wer war er?«, die wir nach
Christus stellen, müssen wir uns heute auch fragen
»Wer bin ich?« Sie hat einen Einfluß auf die Art
und Weise, in der die Gläubigen Christus
betrachten, sowie auf die Formen, in denen er in
der Kunst erscheint. Diese Frage bringt uns zum
Bewußtsein. daß alle unsere Vorstellungen von ihm
Bilder von uns selbst sind. Wir haben kein anderes
Modell für ein Wesen, das zugleich Schöpfer und
Geschöpf ist.*

*Auch die modernen Maler haben den zahlreichen
Bildnissen, die während der vergangenen 1800
Jahre entstanden sind, nur wenig Neues
hinzugefügt. Aus den Tiefen einer halb vergrabenen
Erinnerung haben sie Formen früherer Zeit
hervorgeholt, die von einem beständigeren Glauben
zeugen. Sie haben das Gesicht Christi so dargestellt,
wie sie sich und auch wir uns in einem anderen
Leben und einer anderen Zeit vorstellen.*

Francisco de Goya: *Die
Todesangst im Garten*
(Ausschnitt). Kirche des
Hl. Antonius, Madrid.

Sir Charles Eastlake: *Christus
beim Segnen kleiner Kinder*
(Ausschnitt). Ca. 1839. Städtische
Kunstgalerie. Manchester.

141

Oben
Emil Nolde: *Das letzte Abendmahl* 1909. Ada-und-Emil-Nolde-Sammlung, Neukirchen.

Rechts
Vincent Van Gogh: *Pietà* (Ausschnitt). Nach Delacroix. Van Gogh Stiftung, Amsterdam.

Charles Filiger: *Haupt Christi* (Ausschnitt). Ca. 1892. Arthur G. Altschul Sammlung, New York.

142

Honoré Daumier: *Wir wollen*
Barabbas. Ca. 1850 – 70.
Folkwang Museum, Essen.

Ketzerverbrennungen am Leben hielt«. Der geballte Angriff aus dem Lager der Satyriker und Philosophen alarmierte die Führer von Kirche und Staat, von denen viele auch mit Mißbilligung auf die Gegenangriffe durch Kirchenmänner niedrigen Rangs wie die Brüder John und Charles Wesley herabsahen, deren Hymnen und Oratorien begeisterte Massen anzogen. In der Kunst war es leichter, sich diesen störenden Einflüssen zu entziehen, als an den Streitgesprächen teilzunehmen, die die Wurzeln des Christentums in Frage stellten. Die führenden französischen Maler dieser Zeit wie z. B. Fragonard, Boucher und Watteau nahmen Zuflucht zu den Attributen der Wohlhabenden. Ein Interesse an der Natur, als Gottes Schöpfung ohne seine schwer zu erfassende Gegenwart, führte zu den Anfängen der Landschaftsmalerei als einem Thema, das eines ernsthaften Malers würdig war. Caspar David Friedrichs melancholische Landschaften, die den deutschen romantischen Geist verkörpern, verraten eine sublimierte Religiosität.

In Rom entstand eine Schule ausgebürgerter deutscher Künstler, die als Nazarener bekannt wurden und sich zum

Stanley Spencer: *Christus in der Wildnis:* Skorpione. 1939. Privatsammlung, London.

Emile Bernard: *Pietà*
(Ausschnitt). 1890. Sammlung
Clement Altaribba, Paris.

Paul Gauguin: *Christus im
Olivenhain* (Ausschnitt). 1889.
Simon Norton Gallery, Palm
Beach, Florida.

prereformatorischen Katholizismus bekannten. Einige von
ihnen betrachteten Dürer und Fra Angelico als die letzten
wirklich großen Meister. Andere wieder glaubten, daß die
Malerei mit Giotto gestorben sei. Sie erlegten sich strengste
Selbstverleugnung auf, um das zu erreichen, was ihnen als das
höchste Ziel der Kunst erschien, und führten das Leben einer
mittelalterlichen Sekte. Nach seiner Rückkehr nach
Deutschland unter königlicher Schutzherrschaft führte Peter
Cornelius, der bekannteste Nazarener, mit einigem Erfolg die
Freskenmalerei wieder ein. Die Leistungen dieser Bewegung
bestanden jedoch in wenig mehr als frommen und bewußt
rückschrittlichen Gesten. Es kann kaum behauptet werden,
daß sie die Thematik der Christusdarstellungen erweitert
hätten. Es blieb englischen Malern überlassen, die sich selbst
als präraphaelitische Bruderschaft bezeichneten, das fromme
Experiment der Nazarener in die Hauptströmungen der
europäischen Kunst zu integrieren.

   William Dyce, ein viktorianischer Maler, der sich von den
Vorstellungen der Nazarener angezogen fühlte, verleiht
seinem Christus in der *Frau von Samaria* (Birmingham Art
Gallery) eine ästhetische Würde, die an die byzantinischen
Modelle erinnert. Sein Zeitgenosse Charles Eastlake zeigt ihn
in seinem *Christus beim Segnen kleiner Kinder* (Manchester)
als Pater familias, in dessen klassischem Profil sich Würde
und Gelassenheit vereinen.

   Durch die romantische Revolution wurde Christus weniger
verdammt, als daß er in den organischen Formen der
lebendigen Welt aufging. Die Erfindung des Malerischen
verhalf den Menschen zu dem Erlebnis, in einer unberührten
Landschaft eine von Gott geschaffene Balance zu entdecken,

146

an der sich Seele und Geist erfreuten. Das Heraufdämmern
der Landschaftsmalerei fiel mit einer Vernachlässigung der
religiösen Kunst zusammen, so als diene die erstere dem
gleichen Zweck. Gelegentlich taucht die Gestalt Christi in der
romantischen Kunst auf, insbesondere in den letzten Werken
von Delacroix, in denen er den Leistungen von Rubens 100
Jahre zuvor nacheifern wollte. Doch der Geist der Zeit war
gegen ihn.

Im späten 19. Jahrhundert führten eine populistische
Religion und viktorianische Frömmigkeit zu einer erneuten
Belebung des christlichen Glaubens, umgeben von
dickensschen Szenen einer Art, die die Bewunderung Gustave
Dorés, des französischen Illustrators, erregten. Die
Schlichtheit der Geschichten des Evangeliums zog unmittelbar
die Menschen an, die ein bescheidenes Leben führten:
Christus im Hause seiner Eltern von Millais entsprach dem
typisch viktorianischen Wunsch nach einem Bild, das eine
Geschichte erzählt. Von den Kritikern wurde es jedoch
ungnädig aufgenommen. Besonders Dickens, der sich gegen
seinen journalistischen Realismus wehrte, veranlaßte es zu
heftigen Angriffen. In ihrer Pyramide der »Unsterblichen«,
den anbetungswürdigsten Gestalten der Vergangenheit,
stellten die Präraphaeliten Christus an die Spitze, Shakespeare
und den Verfasser von *The Book of Job* unmittelbar darunter.
Im Jahre 1853 sollte Holman Hunt das berühmteste Gemälde
von Christus in der britischen Kunst, *Das Licht der Welt*
(Keble College, Oxford), vollenden. Es zeigt den Sohn Gottes
beim Klopfen an eine verriegelte Holztür, die so fest gegen
Eindringlinge verschlossen ist, daß sie von Gräsern und
Reben überwuchert wurde. Diese Tür, erklärt John Ruskin,
ist die Tür zur menschlichen Seele. Das tief traurige Gesicht
unter der Dornenkrone verrät keine Hoffnung, daß sie
geöffnet werden wird. In der stillen Nacht hört man Engel
herabkommen.

Die Mitte des 19. Jahrhunderts war keine Zeit, in der sich
Künstler auf der Suche nach religiösen Themen Anregungen

William Dyce: *Die Frau von Samaria* (Ausschnitt). Ca. 1850.
Stadtmuseen und Kunstgalerie,
Birmingham.

außerhalb der Schriften suchen konnten. Sowohl die orthodoxe anglikanische als auch die römische Kirche hielten an ihren Überzeugungen fest, und beide begegneten sich mit Mißtrauen. In einer solchen Atmosphäre konnte ein Maler leicht ein »schockierendes« Werk schaffen, ohne dies beabsichtigt zu haben. So erregte Dante Gabriel Rossetti mit seiner Darstellung der *Kindheit der Jungfrau Maria* (Tate Gallery) den Unwillen beider Seiten, da die Heilige Familie wie gewöhnliche Sterbliche bei der Erledigung der täglichen Pflichten gezeigt wird. Fox Madox Brown verfuhr ähnlich in seinem Gemälde *Christus beim Waschen der Füße des Hl. Petrus* (ebenfalls Tate). Millais' *Zimmermannswerkstatt*, die den jungen Christus im Hause seiner Eltern darstellt, rief bei den meisten Menschen, die die religiösen Bilder der alten Meister wiedererkennen wollten, denen sie eine größere Wahrheitsnähe zuerkannten als jedem modernen Maler, ähnliche Bestürzung hervor. Obwohl die Christusdarstellungen des 19. Jahrhunderts in unseren Augen als bis zur Unnatürlichkeit stilisiert erscheinen mögen, ist den Künstlern, die sie schufen, eine aufrichtige Haltung nicht abzusprechen. Man kann die Viktorianer vielleicht manchmal der Heuchelei überführen, doch niemals des Zynismus.

Die britische Kunst des 19. Jahrhunderts hat keine Christusdarstellung hervorgebracht, die mit Manets *Totem Christus mit Engeln* zu vergleichen wäre. Dieses Werk wurde im Pariser Salon von 1864 ausgestellt und befindet sich heute im Metropolitan Museum of Art, New York. Hier finden wir wieder die tragische Gegenwart, die christliche Gemälde bis zur Gegenrevolution prägte, und den imaginativen Realismus, der in das romantische Zeitalter gehört. Christus erscheint

Gegenüber
William Holman Hunt: *Das Licht der Welt.* 1853. Keble College, Oxford.

Sir John Everett Millais: *Christus im Hause seiner Eltern.* 1850. Tate Gallery, London.

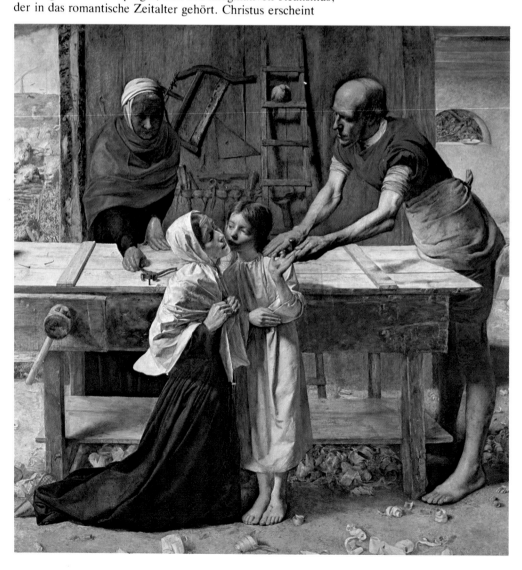

sitzend, gestützt von zwei Engeln von frappierend irdischer Erscheinung. Seine Augen starren blicklos, der Mund ist halb geöffnet. Die Masse und Muskulösität des Körpers entstammen dem klassischen Zeitalter, lassen jedoch die herkömmliche Konzeption der erhabenen Erniedrigung vermissen. Théophile Gautier mißbilligte die unätherischen Engel mit ihren Arbeitergesichtern. Andere Kritiker bemerkten, daß Manet die Wunde auf der linken Seite anstelle der rechten gemalt habe (ein Fehler, den er später in einer Zeichnung korrigierte, die er Zola überreichte).

Obwohl unverkennbar mit Mängeln behaftet strahlt Manets Gemälde eine Qual und Spannung aus, durch die es sich von anderen religiösen Bildern dieser Zeit unterscheidet. Bei allen diesen späteren Versionen überrascht das Festhalten an einem konventionellen Christusbild. Wir sehen es in dem schemenhaften Christusprofil in Daumiers *Wir wollen Barabbas!* in Essen, einer lebhaften Darstellung der bewegten Menge, in der der an Stricken geführte Gefangene, ungeachtet seiner fast geisterhaften Erscheinung, den Stempel würdevollen Pathos trägt. In solchen Momenten ist es überflüssig, die Gesichtszüge darzustellen. Ein Künstler, der seine Wirkung kennt und weiß, daß er dem Betrachter ein Christusbild übermittelt, kann sich expressionistischerer Mittel bedienen. So z. B. indem er die Züge zu einer Maske vereinfacht, wie wir es bei Gauguins *Gelbem Christus* sehen. Oder in der verkratzten Grimasse in Graham Sutherlands *Kreuzigung* in St. Matthew's, Northampton. Die Lithographie *Haupt Christi* von Odilon Redon zeigt das gequälte Gesicht und die riesigen Augen eines leidenden Juden, das Bild einer hoffnungslosen Resignation, in unserer Zeit verkörpert in der Tragödie der Massenvernichtungen.

Im Laufe der Jahrhunderte haben die Künstler Christus das Gesicht eines sterblichen, wenn auch perfekten Menschen verliehen. In ihrem Schaffen haben sie sich von Hoffnungen und Idealen leiten lassen, die der geistigen Welt entstammen, der Welt, die Christus sein eigen nennt, und auch der Welt des Fleisches. Die Entwicklung von heidnischen Bildnissen hin zu der Macht und Schönheit des Geistes ist weniger ein geschichtliches Geschehen als eine Annäherung an einen Zustand, den wir als zivilisiertes Leben bezeichnen.

Von Anfang an verstand man sich auf die Benutzung der Kunst als Propagandamittel. Manchmal kann Propaganda zu

Gegenüber
Paul Gauguin: »*Gelber Christus*«. 1889. Albright Knox Art Gallery, Buffalo.

Ford Madox Brown: *Christus wäscht die Füße des Hl. Petrus* (Ausschnitt). 1856. Tate Gallery, London.

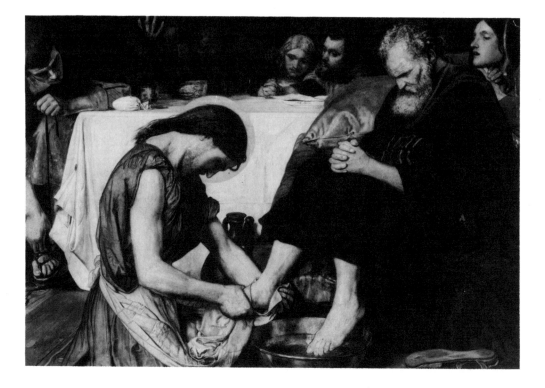

150

Graham Sutherland: *Die
Kreuzigung*. 1946. St. Matthew's,
Northampton.

Odilon Redon: *Haupt Christi*.
Lithographie. 1887. British
Museum, London.

einer Art Wirklichkeit werden, wenn sie so glühend betrieben wird, daß sie dem Unglauben standhält. Die Bedeutung eines solchen Glaubens für das Leben ist vielleicht wichtiger als die Formen, in denen er sich äußert. Die Menschen, die in ihrer Phantasie nach Gesicht und Gestalt Christi suchten, in der Finsterkeit der Katakomben oder den Deckengemälden der Sixtinischen Kapelle, haben auf menschliche Bedürfnisse geantwortet. Wenn wir das Gesicht Christi betrachten, das Werk unserer eigenen Hände und Vorstellungskraft, betrachten wir uns selbst – so wie wir sind und wie wir sein möchten.

José Clemente Orosco: *Christus und sein Kreuz.* 20. Jahrhundert. Mexiko. Baker Library, Dartmouth College, New Hampshire.